中华人民共和国电力行业标准

# 电力工程基桩检测技术规程

Technical code for testing of electric power engineering foundation piles

**DL/T 5493—2014**

主编部门：电力规划设计总院
批准部门：国　家　能　源　局
施行日期：2015年3月1日

中国计划出版社

**2014　北　京**

# 国家能源局

# 公　告

## 2014年　第11号

依据《国家能源局关于印发〈能源领域行业标准化管理办法(试行)〉及实施细则的通知》(国能局科技〔2009〕52号)有关规定,经审查,国家能源局批准《压水堆核电厂用碳钢和低合金钢第17部分:主蒸汽系统用推制弯头》等330项行业标准,其中能源标准(NB)71项、电力标准(DL)122项和石油天然气标准(SY)137项,现予以发布。

附件:行业标准目录

国家能源局

2014年10月15日

附件:

行业标准目录

| 序号 | 标准编号 | 标准名称 | 代替标准 | 采标号 | 批准日期 | 实施日期 |
| --- | --- | --- | --- | --- | --- | --- |
| …… | | | | | | |
| 177 | DL/T 5493—2014 | 电力工程基桩检测技术规程 | | | 2014-10-15 | 2015-03-01 |
| …… | | | | | | |

# 前　言

根据《国家能源局关于下达2009年第一批能源领域行业标准制(修)定计划的通知》(国能科技〔2009〕163号)的要求,编制组总结了电力行业几十年来基桩检测的新经验,调研了检测技术的新进展,吸取了行业内外相关科研应用成果,在广泛征求行业内设计单位意见的基础上,制定本标准。

本标准规定了电力工程基桩检测的技术方法、检测数量、技术措施等。

本标准共7章和8个附录,主要技术内容包括:总则,术语和符号,基本规定,单桩静载试验,单桩动力检测,其他检测方法,检测结果评价和检测报告等。

本标准由国家能源局负责管理,由电力规划设计总院提出,由能源行业发电设计标准化技术委员会负责日常管理,由华东电力设计院负责具体技术内容的解释。执行过程中如有意见或建议,请寄送电力规划设计总院(地址:北京市西城区安德路65号,邮政编码:100120)。

本标准主编单位、参编单位、主要起草人和主要审查人:

**主 编 单 位:**华东电力设计院

**参 编 单 位:**华北电力设计院工程有限公司
中电投电力工程有限公司
广东省电力设计研究院
安徽省电力设计院
江苏省电力设计院

**主要起草人:**胡　钧　刘小青　高倚山　贾　剑　周　伟
杨　雄　冯锦基　戴洪军　张建龙　方　军

马克刚　张新奎　孙亚哲

**主要审查人：**王中平　李彦利　王　盾　齐　迪　余小奎

尚思良　刘厚健　熊小华　王松江　陈念军

邵长云　马海毅　王基文　赵　羽　陶履彬

# 目　次

# Contents

# 1 总　　则

**1.0.1** 为统一电力工程基桩检测方法，保证工程检测质量，做到安全适用、数据准确、技术先进、经济合理、保护环境，制定本标准。

**1.0.2** 本标准适用于火电工程、核电工程、输变电工程、新能源发电工程等新建、改建和扩建工程基桩的检测与评价。

**1.0.3** 电力工程基桩检测应综合考虑地质条件、地基基础设计等级、地基基础类型、施工质量可靠性、各种检测方法的特点和使用范围等因素，合理选择检测方法、确定检测数量。基桩检测结果应结合上述因素进行分析判定。

**1.0.4** 电力工程基桩检测除应符合本标准外，尚应符合国家现行有关标准的规定。

# 2　术语和符号

## 2.1　术　　语

**2.1.1**　基桩　　foundation pile

桩基础中的单桩。

**2.1.2**　桩身完整性　　pile integrity

反映桩身截面尺寸相对变化、桩身材料密实性和连续性的综合定性指标。

**2.1.3**　桩身缺陷　　pile defects

使桩身完整性恶化，在一定程度上引起桩身结构强度和耐久性降低的桩身断裂、裂缝、缩径、夹泥(杂物)、空洞、蜂窝、松散等现象的统称。

**2.1.4**　单桩静载试验　　static loading test

在桩顶部逐级施加竖向压力、竖向上拔力或水平推力，观测桩顶部随时间产生的沉降、上拔位移或水平位移，以确定相应的单桩竖向抗压承载力、单桩竖向抗拔承载力或单桩水平承载力的试验方法。

**2.1.5**　钻芯法　　core drilling method

用钻机钻取灌注桩及其持力层的芯样，检测桩长、完整性、桩底沉渣厚度以及桩身混凝土的强度、密实性和连续性，判定桩底岩土性状的方法。

**2.1.6**　低应变法　　low strain integrity testing

采用低能量瞬态或稳态激振方式在桩顶激振，实测桩顶部的速度时程曲线或速度导纳曲线，通过波动理论分析或频域分析，对桩身完整性进行判定的检测方法。

**2.1.7**　高应变法　　high strain dynamic testing

用重锤冲击桩顶，实测桩顶部的速度和力时程曲线，通过波动理论分析，对单桩竖向抗压承载力和桩身完整性进行判定的检测方法。

**2.1.8** 声波透射法 cross hole sonic logging testing

在预埋声测管之间发射并接收声波，通过实测声波在混凝土介质中传播的声时、频率和波幅衰减等声学参数的相对变化，对桩身完整性进行判定的检测方法。

**2.1.9** 桩身内力测试 measuring of internal load in pile

通过桩身应变、位移的测试，计算荷载作用下桩侧阻力、桩端阻力或桩身弯矩的试验方法。

**2.1.10** 综合试桩 comprehensive test pile

在工程桩施工前进行的，采用多种试验、检测方法进行比对、验证，并为设计及工程桩检测提供依据的综合性试验方法。

**2.1.11** 桩身加载法静载试验 self-balanced static loading test

在桩身适当位置安设荷载箱，沿垂直方向加载，可同时测得荷载箱上、下部各自承载力的试验方法。

## 2.2 符 号

**2.2.1** 抗力和材料性能：

$c$——桩身一维纵向应力波传播速度，简称桩身波速；

$E$——桩身材料弹性模量；

$f_{cu}$——混凝土芯样试件抗压强度；

$m$——地基土水平抗力系数的比例系数；

$Q_u$——单桩竖向抗压极限承载力；

$R_a$——单桩竖向抗压承载力特征值；

$R_c$——由凯司法判定的单桩竖向抗压承载力；

$R_x$——缺陷以上部位土阻力的估计值；

$v$——桩身混凝土声速；

$Z$——桩身截面力学阻抗；

$\rho$——桩身材料质量密度；

$P$——芯样抗压试验测得的破坏荷载。

**2.2.2** 作用与作用效应：

$F$——锤击力；

$H$——单桩水平静载试验中作用于地面的水平力；

$Q$——单桩竖向抗压静载试验中施加的竖向荷载、桩身轴力；

$s$——桩顶竖向沉降、桩身竖向位移；

$U$——单桩竖向抗拔静载试验中施加的上拔荷载；

$V$——质点运动速度；

$Y_0$——水平力作用点的水平位移；

$\delta$——桩顶上拔量；

$\sigma_s$——钢筋应力。

**2.2.3** 几何参数：

$A$——桩身截面面积；

$B$——矩形桩的边宽；

$b_0$——桩身计算宽度；

$D$——桩身直径，外径；

$d$——芯样试件的平均直径；

$I$——桩身换算截面惯性矩；

$l'$——每检测剖面相应两声测管的外壁间净距离；

$L$——测点下桩长；

$x$——传感器安装点至桩身缺陷的距离；

$z$——测点深度。

**2.2.4** 计算系数：

$J_c$——凯司法阻尼系数；

$\alpha$——桩的水平变形系数；

$\beta$——高应变法桩身完整性系数；

$\lambda$——样本中不同统计个数对应的系数；

$\nu_y$——桩顶水平位移系数；

$\xi$——混凝土芯样试件抗压强度折算系数。

**2.2.5** 其他：

$A_{\mathrm{m}}$——声波波幅平均值；

$A_{\mathrm{p}}$——声波波幅值；

$a$——信号首波峰值电压；

$a_0$——零分贝信号峰值电压；

$c_{\mathrm{m}}$——同条件下多根已检合格桩桩身波速的平均值，简称桩身平均波速；

$f$——频率、声波信号主频；

$n$——数目、样本数量；

$s_{\mathrm{x}}$——标准差；

$T$——首波周期；

$t'$——几何因素声时修正值；

$t_0$——仪器系统延迟时间；

$t_1$——速度第一峰对应的时刻；

$t_{\mathrm{c}}$——声时；

$t_i$——时间、声时测量值；

$t_{\mathrm{r}}$——锤击力上升时间；

$t_{\mathrm{x}}$——缺陷反射峰对应的时刻；

$v_0$——声速的异常判断值；

$v_{\mathrm{c}}$——声速的异常判断临界值；

$v_{\mathrm{L}}$——声速低限值；

$v_{\mathrm{m}}$——声速平均值；

$\Delta f$——幅频曲线上桩底相邻谐振峰间的频差；

$\Delta f'$——幅频曲线上缺陷相邻谐振峰间的频差；

$\Delta T$——速度波第一峰与桩底反射波峰间的时间差；

$\Delta t_{\mathrm{x}}$——速度波第一峰与缺陷反射波峰间的时间差。

# 3 基 本 规 定

## 3.1 一 般 规 定

**3.1.1** 电力工程基桩检测可分为综合试桩检测、施工过程工程桩跟踪检测和施工后工程桩验收检测。

**3.1.2** 当满足下列条件之一时，施工前应进行综合试桩：

**1** 地基基础设计等级为甲级、乙级的桩基工程；

**2** 场地地质条件复杂的桩基工程；

**3** 本地区采用的新桩型或采用新工艺施工的桩基工程；

**4** 设计有要求的桩基工程。

**3.1.3** 工程桩应进行单桩承载力和桩身完整性检测。

**3.1.4** 根据电力工程的特点以及由于桩基工程问题造成工程破坏或影响使用的后果，基桩检测建、构筑物重要性分级可按表3.1.4进行。

**表 3.1.4 基桩检测建、构筑物重要性分级**

| 重要性等级 | 建、构筑物名称 |
| --- | --- |
| 一级 | 发电工程中的主厂房、锅炉房、集控楼、烟囱、干煤棚、储煤罐、冷却塔等主要建、构筑物；输变电工程中的构架、支架、综合楼、大跨越 |
| 二级 | 除一级、三级以外的其他生产、辅助及附属建筑物 |
| 三级 | 机车库、汽车库、警卫传达室、围墙、自行车棚及临时建筑 |

**3.1.5** 地基的复杂程度应分为下列三个等级：

**1** 复杂地基；

**2** 中等复杂地基；

**3** 简单地基。

**3.1.6** 电力工程基桩检测等级按建、构筑物重要性等级及地基复杂程度应分为下列三个等级：

1 甲级：重要性等级为一级工程，或为复杂地基；

2 乙级：除检测等级为甲级和丙级以外的检测项目；

3 丙级：重要性等级为三级工程，且为简单地基。

**3.1.7** 桩身完整性检测结果评价应给出每根受检桩的桩身完整性类别。桩身完整性分类应符合表 3.1.7 的规定，并应按本标准第 4 章～第 6 章规定的技术内容划分。

**表 3.1.7 桩身完整性分类表**

| 桩身完整性类别 | 分类原则 |
|---|---|
| Ⅰ类桩 | 桩身完整 |
| Ⅱ类桩 | 桩身有轻微缺陷，不会影响桩身结构承载力的正常发挥 |
| Ⅲ类桩 | 桩身有明显缺陷，对桩身结构承载力有影响 |
| Ⅳ类桩 | 桩身存在严重缺陷 |

## 3.2 检测方法和内容

**3.2.1** 基桩检测方法应符合表 3.2.1 的规定，根据桩基设计等级、基桩特点、方法适应性、试桩结果合理选择，必要时可采用两种或两种以上检测方法，如果发现异常应做进一步验证。

**表 3.2.1 检测方法及检测目的**

| 检测方法及项目 | 检测目的 |
|---|---|
| 单桩竖向抗压静载试验 | 确定单桩竖向抗压极限承载力；<br>判定竖向抗压承载力是否满足设计要求；<br>通过桩身内力及变形测试，测定桩周各土层的抗压摩阻力及桩端阻力；<br>验证高应变法的单桩竖向抗压承载力检测结果 |
| 单桩竖向抗拔静载试验 | 确定单桩竖向抗拔极限承载力；<br>判定竖向抗拔承载力是否满足设计要求；<br>通过桩身内力及变形测试，测定桩周各土层的抗拔摩阻力 |

**续表 3.2.1**

| 检测方法及项目 | 检 测 目 的 |
|---|---|
| 单桩水平静载试验 | 确定单桩水平临界荷载和极限承载力,推定土抗力参数;<br>判定水平承载力是否满足设计要求;<br>通过桩身内力及变形测试,测定桩身弯矩和挠曲 |
| 高应变法 | 判定单桩竖向抗压承载力是否满足设计要求;<br>检测桩身缺陷及其位置,判定桩身完整性类别;<br>分析桩周各土层的摩阻力及桩端阻力;<br>监测预制桩打桩过程 |
| 低应变法 | 检测桩身缺陷及其位置,判定桩身完整性类别 |
| 声波透射法 | 检测灌注桩桩身混凝土的均匀性、桩身缺陷及其位置,判定桩身完整性类别 |
| 钻芯法 | 检测灌注桩桩长、桩身混凝土强度及桩底沉渣厚度,判定、鉴别桩底岩土性状,判定桩身完整性类别 |
| 桩身加载法<br>静载荷试验 | 确定单桩竖向抗压极限承载力;<br>确定单桩竖向抗拔极限承载力;<br>通过桩身埋置的应力应变测试元件,测定桩周各土层的摩阻力 |
| 桩身内力测试 | 测定桩周各土层的抗压摩阻力及桩端阻力;<br>测定桩周各土层的抗拔摩阻力;<br>对水平力试验桩,可求得桩身弯矩分布、最大弯矩位置 |
| 桩基动力特性测试 | 测试基桩的动力特性;<br>为动力基础的振动和隔振设计提供动力参数 |
| 成孔质量检测 | 检测灌注桩成孔的孔径、孔深、垂直度及沉渣厚度 |
| 孔内摄像 | 检测混凝土桩内腔完整性;<br>判定桩身缺陷的程度及位置 |

**3.2.2** 为了确定单桩承载力,应根据工程重要性、岩土工程条件、设计要求及工程施工情况采用单桩静载试验或高应变法进行工程

桩单桩承载力检测。

**3.2.3** 对于工程桩施工前已进行过综合试桩并有静载试验、高应变检测对比数据的工程，可采用高应变法对工程桩单桩竖向抗压承载力进行检测。

**3.2.4** 打入桩在施打过程中宜采用高应变法对基桩进行跟踪检测。

**3.2.5** 灌注桩施工过程中，应对成孔质量进行检测。灌注桩验收检测应收集成孔质量检测资料。

**3.2.6** 单桩承载力和桩身完整性检测的受检桩选择宜符合下列要求：

**1** 施工质量有疑问的桩；

**2** 设计方认为重要的桩；

**3** 局部地质条件出现异常的桩；

**4** 施工工艺不同的桩；

**5** 当采用两种或两种以上检测方法时，宜根据前一种检测方法的结果来确定之后检测方法的受检桩；

**6** 除上述规定外，同类型桩抽检宜均匀随机分布。

## 3.3 检测工作程序

**3.3.1** 检测工作应主要包括接受委托、调查、资料收集、制订检测方案、现场检测、计算分析、结果评价及出具检测报告等。

**3.3.2** 调查、资料收集阶段宜包括下列内容：

**1** 收集被检测工程的岩土工程勘察资料、桩基设计图纸及相关说明、施工记录，了解施工工艺和施工中出现的异常情况；

**2** 进一步明确委托方的具体要求；

**3** 检测项目现场实施的可行性。

**3.3.3** 应根据调查结果和确定的检测目的，选择检测方法，制订检测方案。检测方案宜包含工程概况，检测目的，工程地质条件，桩基施工概况，检测仪器设备，检测方法和数量、检测依据，抽样方案，检测人员，检测周期，所需的机械或人工配合等。

**3.3.4** 检测前应对仪器设备检查调试，检测用仪器设备应在检定或校准周期的有效期内。

**3.3.5** 检测开始时间应符合下列规定：

**1** 当采用低应变法或声波透射法检测时，受检桩混凝土强度至少应达到设计强度的 70%，且不应小于 15MPa；

**2** 当采用钻芯法检测时，受检桩的混凝土龄期应达到 28d 或预留同条件养护试块强度应达到设计强度；

**3** 承载力检测前的休止时间除应符合本标准第 3.3.5 条第 2 款规定的桩身混凝土强度外，尚应符合表 3.3.5 的规定。

**表 3.3.5 休止时间**

<table>
<tr><th>土的类别</th><th>休止时间(d)</th><th colspan="2">土的类别</th><th>休止时间(d)</th></tr>
<tr><td>砂土</td><td>7</td><td rowspan="2">黏性土</td><td>非饱和</td><td>15</td></tr>
<tr><td>粉土</td><td>10</td><td>饱和</td><td>25</td></tr>
</table>

注：对于泥浆护壁灌注桩，宜适当延长休止时间。

**3.3.6** 基桩施工后，宜先进行工程桩的桩身完整性检测，后进行承载力检测。当基础埋深较大时，桩身完整性检测应在基坑开挖至基底标高后进行。

**3.3.7** 当现场操作环境不符合仪器设备使用要求时，应采取有效的防护措施。

**3.3.8** 当发现检测数据异常时，应查找原因，必要时应重新检测或采用其他设备或方法予以验证。

**3.3.9** 当对检测结果有异议时，应在原受检桩上进行验证检测，验证检测的抽检数量宜根据实际情况确定。验证检测应符合下列规定：

**1** 桩身浅部缺陷可采用开挖验证；

**2** 桩身或接头存在缺陷的预制桩可采用高应变法进行验证，必要时应进行静载试验，管桩也可采用孔内摄像法验证；

**3** 对低应变法检测中不能明确完整性类别的桩或Ⅲ类桩，可根据实际情况采用静载法、钻芯法、高应变法、开挖等适宜的方法验证检测；

**4** 对于声波透射法检测结果有异议时，可重新组织声波透射法检测，或在同一基桩进行钻芯法验证；

**5** 单孔钻芯检测发现桩身混凝土质量问题时，宜对钻孔进行声波测井或在同一基桩增加钻孔验证；

**6** 可采用静载试验验证高应变法单桩承载力检测结果，对于嵌岩灌注桩，可采用钻芯法验证；

**7** 桩身混凝土实体强度可在桩顶浅部钻取芯样验证。

**3.3.10** 当需要进行验证或扩大检测时，应得到有关各方的确认。

## 3.4 检 测 数 量

**3.4.1** 综合试桩的桩型、试桩数量应根据桩基方案的初步优化结果、工程场地岩土条件分析确定。

**3.4.2** 灌注桩施工前成孔试验均应进行成孔质量检测。

**3.4.3** 采用高应变法进行试打桩的打桩过程监测，在相同施工工艺和相近地质条件下，试打桩数量不应少于3根。

**3.4.4** 灌注桩工程桩成孔质量检测应随机、均匀分布抽检，数量不应少于总桩数的10%。

**3.4.5** 打入式预制桩打桩过程跟踪检测数量不应少于总桩数的3%，且不应少于5根。

**3.4.6** 混凝土灌注桩的桩身完整性验收检测的抽检数量应符合下列规定：

**1** 每个承台抽检桩数不应少于1根；

**2** 检测等级为甲级时，低应变法抽检数量不应少于总桩数的50%，且不宜少于20根；其他检测等级的低应变法抽检数量不应少于总桩数的30%，且不宜少于10根；

**3** 当选用钻芯法或声波透射法进行桩身完整性检测时，抽检数量不应少于总桩数的2%，地基条件复杂时应提高抽检比例。

**3.4.7** 混凝土灌注桩的单桩竖向抗压承载力验收检测应符合下列规定：

1 采用静载试验时，抽检数量不应少于总桩数的1%，且不应少于3根；当总桩数在50根以内时，不应少于2根。采用高应变法时，抽检数量不应少于总桩数的5%，且不应少于5根；

2 对于大直径端承型灌注桩，因试验设备或现场条件限制，难以进行单桩竖向抗压承载力检测时，可结合基桩施工桩端持力层岩性鉴定结论和基桩钻芯法检测结果核验单桩竖向抗压承载力。

**3.4.8** 混凝土预制桩桩身完整性验收检测的抽检数量应符合下列规定：

1 每个承台抽检桩数不应少于1根；

2 检测等级为甲级时，抽检数量不应少于总桩数的30%，且不宜少于20根；其他桩基工程的抽检数量不应少于总桩数的20%，且不宜少于10根；

3 工程需要时可采用孔内摄像对空心桩桩身完整性进行检查。

**3.4.9** 预制桩的单桩竖向抗压承载力验收检测应符合下列规定：

1 采用静载试验时，抽检数量不应少于总桩数的1%，且不应少于3根；当总桩数在50根以内时，不应少于2根；

2 采用高应变法时，检测等级为甲级的，抽检数量不应少于总桩数的7%，且不应少于10根；检测等级为乙级的，抽检数量不应少于总桩数的5%，且不应少于5根；检测等级为丙级的，抽检数量不应少于总桩数的3%，且不应少于3根。

**3.4.10** 钢桩应采用高应变法或静载试验进行检测。高应变法抽检数量不应少于总桩数的5%，且不应少于10根；静载试验抽检数量不应少于总桩数的1%，且不应少于3根，当总桩数在50根以内时，不应少于2根。

**3.4.11** 采用高应变法进行打桩过程跟踪检测的工程桩桩数可计

入验收检测的总桩数。

**3.4.12** 架空输电线路中一级、二级杆塔桩基工程和地质条件复杂或成桩质量可靠性较低的三级杆塔桩基工程，均应100%进行桩身完整性检测，其他杆塔桩基工程可按其桩数的50%进行桩身完整性检测；对一级杆塔和有特殊要求的杆塔桩基，应进行单桩承载力检测，抽检数量根据本标准有关规定确定或根据设计要求确定。

**3.4.13** 对抗拔或水平力有设计要求的桩基工程，单桩承载力验收检测应采用单桩竖向抗拔或单桩水平静载试验，检测数量不应少于总桩数的1%，且不应少于3根；当总桩数在50根以内时，不应少于2根。

**3.4.14** 当检测结果不满足设计要求时，应分析原因，必要时扩大检测。扩大抽检宜采用原抽检用的检测方法或准确度更高的检测方法。

# 4 单桩静载试验

## 4.1 单桩竖向抗压静载试验

**4.1.1** 本方法适用于检测单桩的竖向抗压承载力。当埋设有桩身应力、应变、桩底反力传感器或位移杆时，可测定桩周土层的抗压侧阻力值和桩端阻力值或桩身截面的位移量。

**4.1.2** 为设计提供依据的试验桩，应加载至地基或桩身破坏；对工程桩抽样检测时，加载值应大于或等于设计要求的单桩承载力特征值的2.0倍。

**4.1.3** 单桩竖向抗压静载试验的设备及仪器安装应符合下列要求：

**1** 试验桩桩顶应保持平整。对于打入桩，如桩顶因锤击受损，应按原桩身强度要求修复；对于灌注桩，桩头处理宜符合本标准附录A的规定；

**2** 加载反力装置可根据现场条件采用锚桩横梁反力装置、压重平台反力装置及锚桩压重联合反力装置。当采用锚桩作为反力装置时，应验算锚桩抗拔力，且其应大于设计最大加载时作用在锚桩平均上拔力的1.2倍；采用工程桩作为锚桩时，应监测锚桩上拔量。当采用压重平台反力装置时，所加重物应均匀稳固地放置于平台上，且应大于设计最大加载量的1.2倍，宜在检测前一次加足，施加于地基的压应力不宜大于地基承载力特征值的1.5倍；

**3** 沉降观测用基准梁宜采用2根，并应具有一定的刚度，设置于独立的基准桩上。试验期间应采取措施，避免气温、振动及其他外界因素的影响。试桩、锚桩或压重平台支墩边和基准梁之间的中心距应符合表4.1.3的规定；

**表 4.1.3 试桩、锚桩或压重平台支墩边和基准梁之间的中心距**

| 距离<br>反力装置 | 试桩中心与锚桩中心或压重平台支墩边 | 试桩中心与基准桩中心 | 基准桩中心与锚桩中心或压重平台支墩边 |
|---|---|---|---|
| 锚桩横梁 | ≥4(3)$D$，<br>且>2.0m | ≥4(3)$D$，<br>且>2.0m | ≥4(3)$D$，<br>且>2.0m |
| 压重平台 | ≥4$D$，<br>且>2.0m | ≥4(3)$D$，<br>且>2.0m | ≥4$D$，<br>且>2.0m |

注：1 $D$ 为试桩或锚桩的设计直径或边宽；

2 试桩或锚桩为扩底桩或多支盘桩时，试桩与锚桩的中心距不应小于 2 倍扩大端直径；

3 括号内数值可用于工程桩验收检测时多排桩基础设计桩中心距离小于 4$D$ 或压重平台法支墩下 2 倍～3 倍宽影响范围内的地基土已进行加固处理的情况。

**4** 桩顶、桩端沉降量及锚桩上拔量量测宜采用位移传感器或大量程百分表，传感器分辨率优于或等于 0.01mm。桩顶沉降量测时应在同一水平面内两个正交直径方向上对称布置 4 个量测仪表，测定平面宜在桩顶 200mm 以下位置。桩身截面位移测量可在桩身内埋设测管，测管中内置测杆；

**5** 试验加载宜采用油压千斤顶，千斤顶应平放在试桩中心，当采用两台及两台以上千斤顶加载时，应使用同型号和规格的千斤顶，并联同步工作，并使千斤顶的合力通过试桩中心。荷载测量宜用并联于油路的压力传感器测定油压，传感器的测量误差不应大于 1%；

**6** 当需要测试桩侧阻力和桩端阻力时，桩身内埋设传感器应符合本标准第 6.3 节的有关要求。

**4.1.4** 为设计提供依据的单桩竖向抗压静载试验应采用慢速维持荷载法；当工程设计有特殊要求时，也可采用多循环加、卸载法等其他方法。工程桩验收检测宜采用慢速维持荷载法，当有成熟的地区经验时，也可采用快速维持荷载法。快速维持荷载法每级荷载维持时间不得少于1h。

慢速维持荷载法应符合下列要求：

**1** 加载应分级进行，采用逐级等量加载；每级加载量为预估最大加载量的1/10～1/12，其中第一级可取分级荷载的2倍。每级荷载在维持过程中的变化幅度不得超过分级荷载的±5%；

**2** 每级荷载施加后，应按第5min、第15min、第30min、第45min、第60min测读桩顶沉降量，以后每隔30min测读一次，当沉降速率达到相对稳定标准时，即可施加下一级荷载；

**3** 沉降相对稳定标准应为：每一小时的桩顶沉降量不超过0.1mm，并连续出现两次，从分级荷载施加后的第30min开始，按1.5h连续三次每30min的沉降观测值计算；

**4** 卸载应分级进行，采用逐级等量卸载，每级卸载量取加载时分级荷载2倍；

**5** 每级荷载卸载后，应按第15min、第30min、第60min测读桩顶沉降量后，即可卸载下一级荷载，卸载至零后，测读桩顶残余沉降量，维持时间为3h，测读时间为第15min、第30min，以后每隔30min测读一次。

**4.1.5** 终止试验加载应符合下列要求之一：

**1** 某级荷载作用下，桩顶沉降量大于前一级荷载作用下沉降量的5倍。当桩顶沉降量能相对稳定且总沉降量小于40mm时，宜加载至桩顶总沉降量超过40mm；

**2** 某级荷载作用下，桩顶沉降量大于前一级荷载作用下沉降量的2倍，且经24h尚未达到相对稳定标准；

**3** 达到反力装置的最大加载量或设计要求的最大加载量，且沉降量已达到相对稳定标准；

**4** 已达到桩身材料的极限强度或桩身已出现明显破损；

**5** 当工程桩作为锚桩时，锚桩上拔量已达到允许值；

**6** 当荷载-沉降曲线呈缓变型时，可加载至桩顶总沉降量超过 60mm～80mm；也可根据具体要求加载至桩顶总沉降量超过 80mm。

**4.1.6** 检测数据宜按本标准附录 B 中表 B.1 的格式记录。

**4.1.7** 检测数据的整理应符合下列要求：

**1** 确定单桩竖向抗压极限承载力时，应绘制竖向荷载-沉降（$Q-s$）、沉降-时间（$s-\lg t$）关系曲线，需要时也可绘制其他辅助分析所需曲线；

**2** 当进行桩身应力、应变和桩底反力测试时，应绘制桩身轴力分布图，计算桩周不同岩土层的侧阻力值和端阻力值。

**4.1.8** 单桩竖向抗压极限承载力 $Q_u$ 宜按下列方法确定：

**1** 对于陡降型 $Q-s$ 曲线，可取其发生明显陡降的起始点对应的荷载值；

**2** 可取 $s-\lg t$ 曲线尾部出现明显向下弯曲的前一级荷载值；

**3** 出现本标准第 4.1.5 条第 2 款情况时，可取前一级荷载；

**4** 对于缓变型 $Q-s$ 曲线的桩，宜取 $s=40$mm 对应的荷载值；当桩长大于 40m 时，宜考虑桩身弹性压缩量；对于直径大于或等于 800mm 的桩，可取 $s=0.05D$ 对应的荷载值，其中 $D$ 为桩端直径；

**5** 当按上述四款判定桩的竖向抗压承载力未达到极限时，桩的竖向抗压极限承载力宜取最大试验荷载值；

**6** 当最大加载量已达到桩身材料的极限强度和桩顶出现明显破坏现象时，可取最大加载量的前一级荷载值。

**4.1.9** 为设计提供依据的试验桩竖向抗压极限承载力统计值应根据岩土条件、施工情况等综合确定，并应符合下列要求：

**1** 试桩条件基本相同的试验桩数量不少于 3 根，且满足极差不超过平均值的 30％时，应取其平均值为单桩竖向抗压极限承载力的统计值；

**2** 当极差超过平均值的 30％时，应分析极差过大的原因，结合工程实际情况确定，必要时增加试桩的数量。

**4.1.10** 单桩竖向抗压承载力特征值应按单桩竖向抗压极限承载力的一半取值。

## 4.2 单桩竖向抗拔静载试验

**4.2.1** 本方法适用于检测单桩的竖向抗拔承载力。当埋设有桩身应力、应变测试元件时，可测定桩周土层的抗拔摩阻力值；当桩端埋设位移测量杆时，可测定桩端上拔量。

**4.2.2** 为设计提供依据的试验桩应加载至桩侧土破坏或桩身材料达到设计强度；对工程桩抽样检测时，加载量应大于或等于设计要求的单桩承载力特征值的 2.0 倍；当抗拔承载力受抗裂条件控制时，可按设计要求确定最大加载量。

**4.2.3** 单桩竖向抗拔静载试验的设备及仪器安装应符合下列要求：

**1** 试验反力装置宜采用反力桩或天然地基提供支座反力，反力架系统应具有 1.2 倍的安全系数。采用反力桩或工程桩提供支座反力时，反力桩顶面应平整并具有一定的强度。采用天然地基提供反力时，施加于地基的压应力不宜超过地基承载力特征值的 1.5 倍；反力梁的支点重心应与支座中心重合；

**2** 基准梁安装要求，试验桩、支座和基准梁之间的中心距应符合本标准第 4.1.3 条第 3 款的规定；

**3** 桩顶上拔量量测宜采用位移传感器或大量程百分表，传感器分辨率优于或等于 0.01mm。上拔量测试平面宜布置在桩顶或桩身，并应避开主筋；

**4** 加载装置和荷载量测仪器安装要求应符合本标准第 4.1.3 条第 5 款的规定；

**5** 试验前后，宜采用低应变动测法对试桩的桩身完整性进行检测。为设计提供依据的灌注桩，施工时应进行成孔质量检测；对有接头的预制桩，应进行接头抗拉强度验算。

**4.2.4** 单桩竖向抗拔静载试验可采用慢速维持荷载法，当工程设计有特殊要求时，也可采用多循环加、卸载法等其他方法。

采用慢速维持荷载法时，加、卸载和竖向上拔量观测应符合本标准第 4.1.4 条的规定，并应注意观测桩身外露部分混凝土的开裂情况。

**4.2.5** 终止试验加载应符合下列要求之一：

**1** 某级荷载作用下，桩顶上拔量大于前一级上拔荷载作用下上拔量的 5 倍；

**2** 桩顶累计上拔量超过 100mm；

**3** 桩顶上拔荷载达到钢筋强度设计值，或某根钢筋拉断；

**4** 达到设计要求的最大上拔荷载值。

**4.2.6** 数据整理应绘制上拔荷载-桩顶上拔量（$U-\delta$）关系曲线和桩顶上拔量-时间对数（$\delta-\lg t$）关系曲线。

**4.2.7** 单桩竖向抗拔极限承载力宜按下列方法综合确定：

**1** 对陡变型 $U-\delta$ 曲线，取陡升起始点对应的荷载值；

**2** 对缓变型 $U-\delta$ 曲线，取 $\delta-\lg t$ 曲线斜率明显变陡或曲线尾部明显弯曲的前一级荷载值；

**3** 抗拔钢筋断裂时的前一级荷载值。

**4.2.8** 当工程桩验收检测的受检桩在最大上拔荷载作用下，未出现本标准第 4.2.7 条第 1 款～第 3 款情况时，单桩竖向抗拔极限承载力应取下列情况之一对应的荷载值：

**1** 设计要求最大上拔量控制值对应的荷载；

**2** 设计要求的最大施加荷载；

**3** 钢筋应力达到强度设计值时对应的荷载。

**4.2.9** 为设计提供依据的试验桩竖向抗拔极限承载力统计值应符合本标准第 4.1.9 条的规定。

**4.2.10** 单桩竖向抗拔承载力特征值应按单桩竖向抗拔极限承载力的一半取值。当工程桩不允许带裂缝工作时，应取桩身开裂的前一级荷载作为单桩竖向抗拔承载力特征值，并与按极限荷载一半取值确定的承载力特征值相比取小值。

## 4.3 水平静载试验

**4.3.1** 本方法适用于检测桩顶自由时的单桩水平承载力，推定地基土抗力系数的比例系数。当埋设有桩身应变测量传感器时，可测量相应水平荷载作用下的桩身应变，并由此计算桩身应力变化和桩身弯矩分布。

**4.3.2** 为设计提供依据的试验桩宜加载至桩顶出现较大水平位移或桩身结构破坏，且水平荷载作用点下土的物理力学性质应与工程桩基承台下的土基本一致。工程桩抽样检测时，可按设计要求的水平位移允许值控制加载，且水平荷载作用点高程宜与实际工程桩基承台底面高程一致。

**4.3.3** 利用试验桩做多项检测时，本方法宜在低应变法、高应变法和竖向抗压静载试验之后、竖向抗拔静载试验之前进行。利用已完成竖向静载荷试验和高应变复打检测的桩进行水平静载荷试验时，其间歇时间不宜少于 7d。

**4.3.4** 单桩水平静载试验应符合下列要求：

1 水平推力加载装置宜采用油压千斤顶，在千斤顶与试桩接触处宜安置一球形铰座，以保证千斤顶作用力能水平通过桩身轴线。加载能力不得小于最大试验荷载的 1.2 倍。水平力作用线应通过地面标高处；

2 水平位移宜采用大量程位移计测量。在受检桩的水平力作用平面对称安装两只位移计；当需要测量桩顶转角时，尚应在水平力作用平面以上 50cm 的受检桩两侧对称安装两只位移计；

3 位移测量的基准桩应设置在位移反方向的侧面，基准桩与试桩净距不小于 2 倍桩径；

4 测量桩身应力或应变时，各测试断面的测量传感器应沿受力方向对称布置在受拉和受压主筋上；埋设传感器的纵剖面与受力方向之间的夹角应小于 10°。

**4.3.5** 试验加载方法宜根据建筑物性质和设计要求确定。当桩基主要是受单向长期水平荷载时，可采用慢速维持荷载法；对于电力工程中的烟囱、冷却塔、高压输电工程中的大跨越塔基等，可采用单向多循环加载法，也可按设计要求采用其他加载方法。需要测量桩身应力或应变的试桩宜采用单向单循环加载法或维持荷载法。荷载分级取预估最大试验荷载的1/10～1/15。

**4.3.6** 试验加卸载方式和水平位移测量应符合下列要求：

**1** 采用单向单循环加载法时，每级荷载施加后维持20min，在第5min、第10min、第15min、第20min测读水平位移，然后卸载至零，维持10min，每隔5min应测读一次。至此完成一个加卸载循环，施加下一级荷载。最后一级卸载测读完成后，再每隔10min测读一次，测读30min；

**2** 采用多循环加卸载试验法时，每级荷载施加后，恒载4min测读水平位移，然后卸载至零，停2min读残余水平位移，至此完成一个加卸载循环，如此循环5次便完成一级荷载的试验观测。加载时间应尽量缩短，测量位移的间隔时间应严格准确，试验不得中途停歇；

**3** 维持荷载法的试验方法和稳定标准应符合本标准第4.1.4条的相关规定。

**4.3.7** 终止试验加载应符合下列要求之一：

**1** 当桩身折断或水平位移超过30mm～40mm，软土或大直径桩取40mm时；

**2** 水平位移达到设计要求的水平位移允许值。

**4.3.8** 检测数据整理应符合下列要求：

**1** 采用单向循环加载法时应绘制水平力-时间-作用点位移（$H-t-Y_0$）关系曲线和水平力-位移梯度（$H-\Delta Y_0/\Delta H$）关系曲线；

**2** 采用慢速维持荷载法时应绘制水平力-力作用点位移（$H-Y_0$）关系曲线、水平力-位移梯度（$H-\Delta Y_0/\Delta H$）关系曲线、力作用点位移-时间对数（$Y_0-\lg t$）关系曲线和水平力-力作用点位移双对数($\lg H-\lg Y_0$)关系曲线；

3 绘制水平力、水平力作用点水平位移-地基土水平抗力系数的比例系数的关系曲线($H-m$、$Y_0-m$)；

4 对埋设有应力或应变测量传感器的试验，应绘制各级水平力作用下的桩身弯矩分布图和水平力-最大弯矩截面钢筋拉应力($H-\sigma_s$)曲线。

**4.3.9** 检测数据宜按本标准附录B表B.2的格式记录。

**4.3.10** 单桩的水平临界荷载宜按下列方法综合判定：

1 采取单向多循环加载法时的 $H-t-Y_0$ 曲线或慢速维持荷载法时的 $H-Y_0$ 曲线出现拐点的前一级水平荷载值；

2 取 $H-\Delta Y_0/\Delta H$ 曲线或 $\lg H-\lg Y_0$ 曲线上第一拐点对应的水平荷载值；

3 取 $H-\sigma_s$ 曲线第一拐点对应的水平荷载值。

**4.3.11** 单桩的水平极限承载力可根据下列方法综合判定：

1 取单向多循环加载法时的 $H-t-Y_0$ 曲线或慢速维持荷载法时的 $H-Y_0$ 曲线产生明显陡降的起始点对应的水平荷载值；

2 取慢速维持荷载法时的 $Y_0-\lg t$ 曲线尾部出现明显弯曲的前一级水平荷载值；

3 取 $H-\Delta Y_0/\Delta H$ 曲线或 $\lg H-\lg Y_0$ 曲线上第二拐点对应的水平荷载值；

4 取桩身折断或受拉钢筋屈服时的前一级水平荷载值。

**4.3.12** 为设计提供依据的试验桩水平极限承载力和水平临界荷载统计值应符合本标准第4.1.9条的要求。

**4.3.13** 单桩水平承载力特征值的确定应符合下列规定：

1 当桩身不允许开裂或灌注桩的桩身配筋率小于0.65%时，应取水平临界荷载的75%为单桩水平承载力特征值；

2 对钢筋混凝土预制桩、钢桩和当桩身配筋率不小于0.65%的灌注桩，应取设计桩顶标高处水平位移为10mm，对水平位移敏感的建筑物，取6mm所对应荷载的75%为单桩水平承载力特征值；

**3** 按设计要求的水平允许位移对应的荷载作为单桩水平承载力特征值，但应同时满足桩身抗裂要求。

**4.3.14** 单桩水平承载力特征值对应的地基土水平抗力系数的比例系数可按下列公式计算：

$$m=\frac{(\nu_y H)^{\frac{5}{3}}}{b_0 Y_0^{\frac{5}{3}}(EI)^{\frac{2}{3}}} \tag{4.3.14-1}$$

$$\alpha=\left(\frac{mb_0}{EI}\right)^{\frac{1}{5}} \tag{4.3.14-2}$$

式中：$m$——地基土水平抗力系数的比例系数（$kN/m^4$）；

$\alpha$——桩的水平变形系数（$m^{-1}$）；

$\nu_y$——桩顶水平位移系数，由式（4.3.14-2）试算 $\alpha$，当 $\alpha h \geqslant 4.0$ 时，$h$ 为桩的入土深度，$\nu_y=2.441$；

$H$——作用于地面的水平力（kN）；

$Y_0$——水平力作用点的水平位移（m）；

$EI$——桩身抗弯刚度（$kN \cdot m^2$）；其中 $E$ 为桩身材料弹性模量，$I$ 为桩身换算截面惯性矩；

$b_0$——桩身计算宽度（m）。对于圆形桩，当桩径 $D \leqslant 1m$ 时，$b_0=0.9(1.5D+0.5)$；当桩径 $D>1m$ 时，$b_0=0.9(D+1)$；对于矩形桩，当边宽 $B \leqslant 1m$ 时，$b_0=1.5B+0.5$；当桩径 $D>1m$ 时，$b_0=B+1$。

# 5 单桩动力检测

## 5.1 高应变法

**5.1.1** 本方法适用于判定单桩竖向抗压承载力和检测桩身完整性，监测预制桩打桩过程。

**5.1.2** 进行灌注桩的竖向抗压承载力检测时，应具有现场实测经验和本地区相近条件下的可靠对比验证资料。

**5.1.3** 在没有动静对比资料或该地区工程经验时，对于大直径的扩底桩、大直径的嵌岩桩、超长的灌注桩和 $Q-s$ 曲线具有缓变型特征的大直径灌注桩，不宜采用本方法进行竖向抗压承载力检测。

**5.1.4** 存在严重缺陷的桩，采用本方法进行检测时不应提供桩的承载力。

**5.1.5** 检测前的准备工作应符合下列规定：

**1** 桩顶露出的高度应满足传感器安装和锤击装置架设的要求，重锤及桩头的纵轴线应与桩身中轴线重合，桩顶面应平整；

**2** 对不能承受重锤冲击的桩头，应在检测前进行加固处理。混凝土桩的桩头处理应按本标准附录 A 的规定执行；

**3** 传感器的安装应符合本标准附录 C 的规定；

**4** 桩头顶部应设置桩垫，桩垫宜采用 10mm～30mm 厚的木板或胶合板等材质均匀的材料，垫面宜略大于桩顶面积，桩垫受冲击损坏、变形后及时更换。

**5.1.6** 参数设定和计算应符合下列规定：

**1** 采样时间间隔宜为 50μs～200μs，信号采样点数不宜少于 1024 点；

**2** 传感器的设定值应按计量检定或校准结果设定；

**3** 测点处的桩截面尺寸应按实际测量确定；

4 桩身波速可根据桩身混凝土强度等级及实测经验等综合设定,并应用实测桩底反射信号进行校核;

5 质量密度和弹性模量应按实际情况设定;

6 测点以下桩长可采用设计文件或施工记录提供的数据作为设定值,并应用实测时间和合理波速进行校核;

7 桩身材料质量密度应按表 5.1.6 的规定取值;

**表 5.1.6 桩身材料质量密度($t/m^3$)**

| 钢桩 | 混凝土预制桩 | 离心管桩 | 混凝土灌注桩 |
|---|---|---|---|
| 7.85 | 2.45～2.50 | 2.55～2.60 | 2.40 |

8 桩身材料弹性模量应按下式计算:

$$E = \rho c^2 \quad (5.1.6)$$

式中:$E$——桩身材料弹性模量(kPa);

$c$—— 桩身应力波传播速度(m/s);

$\rho$—— 桩身材料质量密度($t/m^3$)。

**5.1.7** 现场检测应符合下列要求:

1 检测前应对仪器、电源系统、传感器、连线、接地情况及设定参数等进行全面检查,确认无误后方可进行检测。检测时整个测试系统应处于正常工作状态;

2 采用自由落锤为锤击设备时,应重锤低击,最大锤击落距不宜大于 2.5m;

3 试验目的为确定预制桩打桩过程中的桩身应力、沉桩设备匹配能力和选择桩长时,应按本标准附录 D 的规定执行;

4 预制桩承载力的时间效应应通过初打、复打确定。

**5.1.8** 检测时根据采集数据的质量分析原因,进行检查、调整、改正,当出现下列情况之一时,应重新试验或停止检测:

1 测试波形紊乱,信号异常;

2 同一根桩多锤测试信号无规律;

3 两侧力信号幅值相差超过一倍;

4 一侧力信号呈现明显的受拉特征;

5　力信号未归零；

6　桩身有明显缺陷不闭合或缺陷程度加剧；

7　四通道数据不全。

**5.1.9**　承载力检测前的休止时间宜满足最短休止期。

**5.1.10**　承载力分析计算前，应结合地质条件、设计参数，对所有实测信号进行定性检查分析，观察各实测波形特征反映出的桩的承载性状和桩身缺陷程度和位置，连续锤击时缺陷的扩大或逐步闭合情况，选取锤击能量较大的击次的信号进行分析计算。

**5.1.11**　出现下列情况之一时，锤击信号不得作为承载力分析计算的依据：

1　传感器安装处混凝土开裂或出现严重塑性变形使力曲线最终未归零；

2　严重锤击偏心，两侧力信号幅值相差超过1倍；

3　四通道测试数据不全。

**5.1.12**　桩底反射明显时，桩身波速可根据速度波第一峰起升沿的起点到速度反射峰起升（下降）沿的起点之间的时差与已知桩长值确定（图5.1.12）；桩底反射信号不明显时，可根据桩长、混凝土波速的合理取值范围以及邻近桩的桩身波速值综合确定。

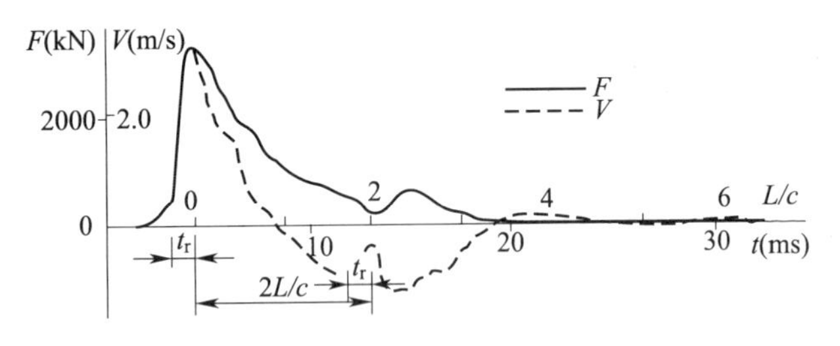


图5.1.12　桩身波速的确定

**5.1.13**　采用实测曲线拟合法判定桩承载力应符合下列规定：

1　所采用的力学模型应明确合理，桩和土的力学模型应能分别反映桩和土的实际力学性状，模型参数的取值范围应能限定；

**2** 拟合分析选用的参数应在相应岩土层性状的合理范围内，同一场地相似条件下的各桩，其同一参数不宜相差太大；

**3** 曲线拟合时间段长度在 $t_1+2L/c$ 时刻后延续时间不应小于 30ms；

**4** 各单元所选用的土的最大弹性位移值不应超过相应桩单元的最大计算位移值；

**5** 拟合完成时，土阻力响应区段的计算曲线与实测曲线应吻合，其他区段的曲线应基本吻合；

**6** 贯入度的计算值应与实测值接近。

**5.1.14** 单桩竖向抗压承载力特征值 $R_a$ 应按本方法得到的单桩承载力检测值的一半取值。

**5.1.15** 桩身完整性判定应采用以下方法进行：

**1** 采用实测曲线拟合法判定时，拟合时所选用的桩土参数应符合本标准第 5.1.13 条第 1 款、第 2 款的规定；根据桩的成桩工艺，拟合时可采用桩身阻抗拟合或桩身裂隙、包括混凝土预制桩的接桩缝隙拟合；

**2** 对于等截面桩且缺陷深度 $x$ 以上部位的土阻力 $R_x$ 未出现卸载回弹时，桩身完整性系数 $\beta$ 和桩身缺陷位置 $x$ 应分别按式(5.1.15-1)和式(5.1.15-2)计算，桩身完整性可按表 5.1.15 的规定并结合经验判定。

$$\beta=\frac{F(t_1)+F(t_x)+Z[V(t_1)-V(t_x)]-2R_x}{F(t_1)-F(t_x)+Z[V(t_1)+V(t_x)]} \tag{5.1.15-1}$$

$$x=c\frac{t_x-t_1}{2000} \tag{5.1.15-2}$$

式中：$\beta$——桩身完整性系数，其值等于缺陷 $x$ 处桩身截面阻抗与 $x$ 以上桩身截面阻抗的比值；

$t_x$——缺陷反射峰对应的时刻(ms)；

$x$——桩身缺陷至传感器安装点的距离 (m)；

$R_x$——缺陷以上部位土阻力的估计值，等于缺陷反射波起始点的力与速度乘以桩身截面力学阻抗之差值（图5.1.15）。

**表 5.1.15 桩身完整性判定**

| 类别 | $\beta$值 | 类别 | $\beta$值 |
|---|---|---|---|
| Ⅰ | $\beta=1.0$ | Ⅲ | $0.6\leqslant\beta<0.8$ |
| Ⅱ | $0.8\leqslant\beta<1.0$ | Ⅳ | $\beta<0.6$ |

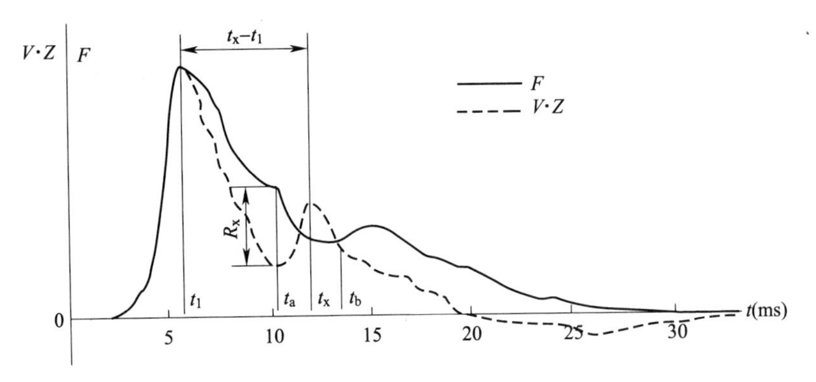


图 5.1.15 桩身完整性系数计算

**5.1.16** 当出现下列情况之一时，桩身完整性判定宜按工程地质条件和施工工艺，结合实测曲线拟合法或其他检测方法综合进行：

**1** 桩身有扩径的桩；

**2** 桩身截面渐变或多变的混凝土灌注桩；

**3** 力和速度曲线在峰值附近比例失调，桩身浅部有缺陷的桩；

**4** 锤击力波上升缓慢，力与速度曲线比例失调的桩；

**5** 对于等截面桩且缺陷深度 $x$ 以上部位的土阻力 $R_x$ 出现卸载回弹。

**5.1.17** 桩身最大锤击拉、压应力和桩锤实际传递给桩的能量应按本标准附录D中相应公式计算。

## 5.2 低应变法

**5.2.1** 本方法适用于检测规则截面混凝土桩的桩身完整性，判定桩身缺陷的位置及程度。

**5.2.2** 本方法有效检测桩长范围应通过现场试验，根据桩底反射信息确定。

**5.2.3** 瞬态激振设备应包括能激发低频宽脉冲和高频窄脉冲的力锤和锤垫。

**5.2.4** 受检桩应符合下列规定：

**1** 桩身强度至少应达到设计强度的70%，且不得小于15MPa；

**2** 桩头的材质、强度、截面尺寸应与桩身基本等同；

**3** 桩顶面应平整、密实，并与桩轴线基本垂直，其中灌注桩应凿除上部疏松的混凝土，传感器安装点和激振点应磨平成光滑平面，并与桩轴线垂直；

**4** 预制桩应在相邻桩打完以后进行。

**5.2.5** 测试参数设定应符合下列规定：

**1** 时域信号记录的时间段长度应在$2L/c$时刻后延续不少于5ms，采样时间间隔或采样频率应根据桩长、桩身波速和频域分辨率合理选择；时域信号采样点数不宜少于1024点；幅频信号分析的频率范围上限不应小于2000Hz；

**2** 传感器的设定值应按检定或校准结果设定；

**3** 设定桩长应为桩顶测点至桩底的施工桩长，设定桩身截面积应为施工截面积；

**4** 桩身波速可根据实测经验初步设定。

**5.2.6** 测量传感器安装和激振操作应符合以下规定：

**1** 传感器安装应与桩顶面垂直；采用耦合剂粘结时应具有足

够的粘结强度，可采用牙膏、黄油等，不得采用手扶方式；

**2** 实心桩上的传感器安装点宜在距桩中心2/3半径处，激振点位置应选择在桩中心。当激振点不在桩顶中心时，传感器安装点与激振点的距离不宜小于桩半径的1/2。空心桩上的传感器安装点与激振点宜在桩壁厚的1/2处，激振点和检测点与桩中心连线形成的夹角宜为90°；

**3** 传感器安装位置和激振点均应避开钢筋笼主筋的影响，激振方向应沿桩轴线方向；

**4** 瞬态激振应通过现场敲击试验，选择合适的激振设备以更改锤击脉冲宽度，从而准确查明桩身完整性；

**5** 稳态激振应在每一个设定频率下获得稳定响应信号，并应根据桩径、桩长及桩周土约束情况调整激振力大小。

**5.2.7** 信号采集和筛选应符合下列规定：

**1** 各检测点记录的有效信号不宜少于3个，且波形具有良好的一致性；

**2** 检查判断实测信号反映的桩身完整性情况，据此决定是否需要进一步增加检测点数量或变换激振点和检测点位置；

**3** 不同检测点多次实测时域信号一致性较差时，应分析原因，增加检测点数量；

**4** 信号不应失真和产生零漂，信号幅值不应超过测量系统的量程。

**5.2.8** 桩身完整性分析宜以时域分析为主，频域分析为辅，并结合地质资料、施工资料和波形特征等因素综合分析判定。

**5.2.9** 桩身波速平均值的确定应符合以下规定：

**1** 当桩长已知，桩底反射信号明显时，在地质、设计、施工工艺相同的条件下，选取不少于5根Ⅰ类桩的桩身波速，应按下列公式计算桩身平均波速：

$$c_{\mathrm{m}} = \frac{1}{n}\sum_{i=1}^{n} c_i \qquad (5.2.9\text{-}1)$$

$$c_i = \frac{2L \times 1000}{\Delta T} \quad (5.2.9\text{-}2)$$

$$c_i = 2L\Delta f \quad (5.2.9\text{-}3)$$

式中：$c_m$——桩身波速平均值(m/s)；

$c_i$——参与统计的第 $i$ 根桩的桩身波速值(m/s)，且 $|c_i - c_m|/c_m \leqslant 5\%$；

$L$——测点下桩长；

$\Delta T$——时域信号第一峰与桩底反射波峰间的时间差(ms)；

$\Delta f$——频域曲线上桩底相邻谐振峰间的频差(Hz)；

$n$——参与波速平均值计算的基桩数，$n \geqslant 5$。

**2** 当无法按上款确定时，桩身波速平均值可根据本地区相同桩型及成桩工艺的其他桩基工程的实测值，结合桩身混凝土的骨料品种和强度等级综合确定。

桩身第一个缺陷位置应按下列公式计算：

$$x = \frac{1}{2000}\Delta t_x c \quad (5.2.9\text{-}4)$$

$$x = \frac{1}{2}\frac{c}{\Delta f'} \quad (5.2.9\text{-}5)$$

式中：$x$——桩身缺陷至传感器安装点的距离(m)；

$\Delta t_x$——速度波第一峰与缺陷反射波峰间的时间差(ms)；

$c$——受检桩的桩身波速(m/s)，无法确定时用 $c_m$ 代替；

$\Delta f'$——幅频曲线上缺陷相邻谐振峰间的频差(Hz)。

**5.2.10** 桩身完整性类别应结合缺陷出现的深度、测试信号衰减特性以及设计桩型、成桩工艺、地质条件、施工情况，按本标准表3.1.7和表5.2.10所列时域或者幅频信号特征进行综合评定。

**表 5.2.10 桩身完整性分类表**

| 类别 | 时域信号特征 | 幅域信号特征 |
| --- | --- | --- |
| Ⅰ | $2L/c$ 时刻前无缺陷反射波，有桩底反射波 | 桩底谐振峰排列基本等间距，其相邻频差 $\Delta f \approx c/(2L)$ |

**续表 5.2.10**

| 类别 | 时域信号特征 | 幅域信号特征 |
| --- | --- | --- |
| Ⅱ | $2L/c$ 时刻前有轻微的缺陷反射波，有桩底反射波 | 桩底谐振峰排列基本等间距，其相邻频差 $\Delta f \approx c/2L$，轻微缺陷产生的谐振峰与桩底谐振峰之间的 $\Delta f' > c/(2L)$ |
| Ⅲ | 有较强的缺陷反射波，其他特征介于Ⅱ类和Ⅳ类之间 | |
| Ⅳ | $2L/c$ 时刻前有严重的缺陷反射波或周期性缺陷反射波，无桩底反射波；<br>或因桩身浅部严重缺陷使波形呈现低频大振幅衰减振动，无桩底反射波；<br>或按平均波速计算的桩长明显短于实际桩长 | 桩底谐振峰排列基本等间距，其相邻频差 $\Delta f > c/(2L)$，无桩底谐振峰；<br>或因桩身浅部严重缺陷只出现单一谐振峰，无桩底谐振峰 |

注：对于同一场地、地质条件相近、桩型和成桩工艺相同的基桩，因桩端部分桩身阻抗与持力层阻抗相匹配导致实测信号无桩底反射波出现时，可按本场地同条件下有桩底反射波的其他桩实测信号判定桩身完整性类别。

**5.2.11** 对于混凝土灌注桩，采用时域信号分析时应区分桩身截面渐变后恢复至原桩径并在该阻抗突变处的一次反射，或扩径突变处的二次反射，结合成桩工艺和地质条件综合分析判定受检桩的完整性类别。必要时，可采用实测曲线拟合法辅助判定桩身完整性或借助实测导纳值、动刚度的相对高低辅助判定桩身完整性。

**5.2.12** 对于嵌岩桩，桩底时域反射信号为单一反射波且与锤击脉冲信号同向时，应采取其他方法核验桩端嵌岩情况。

**5.2.13** 当出现下列情况之一时，桩身完整性判定宜结合其他检测方法进行：

**1** 实测信号复杂，无规律，无法对其进行准确评价；

**2** 桩身波速明显异常；

**3** 桩身截面渐变或多变，且变化幅度较大的混凝土灌注桩；

4 预制桩在 $2L/c$ 前出现异常反射，但又不能判断是否属于正常接桩反射时，可按照本标准第 3.3.9 条的规定进行验证检测。

## 5.3 声波透射法

**5.3.1** 本方法适用于已预埋声测管的混凝土灌注桩桩身完整性检测，判定桩身缺陷的位置、范围和程度。

**5.3.2** 声测管埋设应按本标准附录 E 的规定执行。

**5.3.3** 现场检测前准备工作应符合以下规定：

1 收集相关技术资料和施工资料，现场检测开始的时间应符合本标准第 3.3.5 条的规定；

2 检查测试系统的工作状态可采用率定法确定仪器系统延迟时间；

3 应计算几何因素声时修正值；

4 应在桩顶测量相应声测管外壁间净距；

5 向声测管注满清水，检查声测管畅通情况；换能器应能在声测管全程范围内正常升降。

**5.3.4** 现场检测过程应符合以下规定：

1 应合理设置测点间距、声波发射电压和仪器设置参数，并在同一根桩的检测过程中保持一致；

2 将发射与接收声波换能器通过深度标志分别置于两个声测管道中。平测时，发射与接收声波换能器应始终保持相同深度[图 5.3.4(a)]；斜测时，发射与接收声波换能器应始终保持固定高差[图 5.3.4(b)]，且两个换能器中点连线的水平夹角不应大于 30°；

3 检测过程中，应将发射与接收声波换能器同步升降，测点间距不应大于 250mm，并应及时校核换能器的深度。检测时应从桩底开始向上同步提升声波发射与接收换能器进行检测，提升过程中应根据桩的长短进行 1 次～3 次换能器高差校正，提升过程中应确保测试波形的稳定性，同步提升声波发射与接收换能器的提升速度不宜超过 0.5m/s；

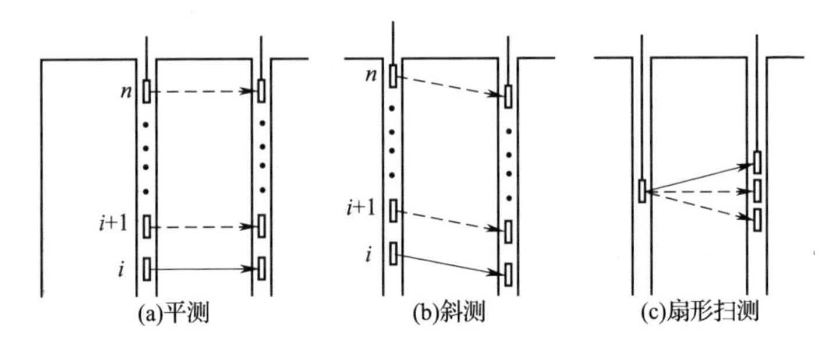


图 5.3.4 平测、斜测、扇形扫测示意图

**4** 对于每个测点，应实时显示和记录接收信号的时程曲线，读取首波声时、幅值，保存检测数据时应同时保存波列图信息，当需要采用信号主频值作为异常点辅助判据时，还应读取信号主频值；

**5** 以两个声测管组成一个测面，应分别对所有测面进行检测；

**6** 在桩身质量可疑的测点附近，应采用增加测点或采用扇形扫测[图 5.3.4(c)]、交叉斜测、CT 影像技术等方式进行复测和加密测试，进一步确定缺陷的位置和空间分布范围。采用扇形扫测时，两个换能器中点连线的水平夹角不应大于 40°。

**5.3.5** 当采用平测时，各测点声时 $t_{ci}$、声速 $v_i$、声波波幅值 $A_{pi}$ 及主频 $f$ 应分别按式(5.3.5-1)、式(5.3.5-2)、式(5.3.5-3)及式(5.3.5-4)计算，并绘制声速－深度($v-z$)曲线，波幅－深度($A_p-z$)曲线，必要时绘制辅助的主频-深度($f-z$)曲线。

$$t_{ci}=t_i-t_0-t' \tag{5.3.5-1}$$

$$v_i=\frac{l'}{t_{ci}} \tag{5.3.5-2}$$

$$A_{pi}=20\lg\frac{a_i}{a_0} \tag{5.3.5-3}$$

$$f_i=\frac{1000}{T_i} \tag{5.3.5-4}$$

式中：$t_{ci}$——第 $i$ 测点的声时($\mu$s)；

$t_i$——第 $i$ 测点声时测量值($\mu$s)；

$t_0$——仪器系统延迟时间($\mu$s)；

$t'$——几何因素声时修正值($\mu$s)；

$l'$——检测剖面相应两声测管的外壁间净距离(mm)；

$v_i$——第 $i$ 测点声速(km/s)；

$A_{pi}$——第 $i$ 测点首波幅值(dB)；

$a_i$——第 $i$ 测点信号首波峰值(V)；

$a_0$——零分贝信号幅值(V)；

$f_i$——第 $i$ 测点信号主频值(kHz)，也可由信号频谱的主频求得；

$T_i$——第 $i$ 测点首波周期($\mu$s)。

当采用斜测时，取声波发射换能器中点对应的声测管外壁处与声波接受换能器中点对应的声测管外壁处之间的净距离，由桩顶面两声测管的外壁间净距离和发射接收声波换能器的高差计算得到。

**5.3.6** 桩身混凝土缺陷应根据采用下列方法综合判定：

**1** 采用概率法对声速进行计算，采用临界值法进行异常值判别，当满足式(5.3.6-1)时，测点声速应判定为异常值。

$$v_i \leqslant v_c \tag{5.3.6-1}$$

式中：$v_i$——第 $i$ 测点声速(km/s)；

$v_c$——声速的异常判断临界值(km/s)。

当检测剖面 $n$ 个测点的声速值普遍偏低且离散性很小时，宜采用声速低限值判别，当满足式(5.3.6-2)时，测点声速判定为异常值。

$$v_i < v_L \tag{5.3.6-2}$$

式中：$v_L$——声速低限值(km/s)，由预留同条件混凝土试件的抗压强度与声速对比试验结果，结合本地区实际经验确定。

**2** 采用临界值法进行异常值判别，当满足式(5.3.6-3)、式

(5.3.6-4)时，测点波幅应判定为异常值。

$$A_{\mathrm{m}} = \frac{1}{n}\sum_{i=1}^{n} A_{\mathrm{p}i} \tag{5.3.6-3}$$

$$A_{\mathrm{p}i} < A_{\mathrm{m}} - 6 \tag{5.3.6-4}$$

式中：$A_{\mathrm{m}}$——波幅平均值(dB)；

$n$——检测剖面测点数。

**3** 采用斜率法的 PSD 值作为辅助异常点判据，根据 PSD 值在某深度处的突变，结合波幅变化情况进行异常点判定。PSD 值可按下列公式计算：

$$\mathrm{PSD} = K\Delta t \tag{5.3.6-5}$$

$$K = \frac{t_{\mathrm{c}i} - t_{\mathrm{c}i-1}}{z_i - z_{i-1}} \tag{5.3.6-6}$$

$$\Delta t = t_{\mathrm{c}i} - t_{\mathrm{c}i-1} \tag{5.3.6-7}$$

式中：$t_{\mathrm{c}i}$——第 $i$ 测点的声时(μs)；

$t_{\mathrm{c}i-1}$——第 $i-1$ 测点声时测量值(μs)；

$z_i$——第 $i$ 测点深度(m)；

$z_{i-1}$——第 $i-1$ 测点深度(m)。

**4** 主频判据作为辅助异常点判据，主频-深度曲线上主频值明显降低宜判定为异常。

**5.3.7** 桩身完整性类别应结合桩身混凝土各声学参数临界值、PSD 判据、混凝土声速低限值以及桩身质量可疑点加密测试，包括斜测或扇形扫侧后确定的缺陷范围，按表 5.3.7 的特征进行综合判定。

**表 5.3.7 桩身完整性判定**

| 类别 | 特　征 |
| --- | --- |
| Ⅰ | 各检测剖面的声学参数均无异常，无声速低于低限值异常 |
| Ⅱ | 某一检测剖面个别测点的声学参数出现异常，无声速低于低限值异常 |
| Ⅲ | 某一检测剖面连续多个测点的声学参数出现异常；<br>两个或两个以上的检测剖面在同一深度测点的声学参数出现异常；<br>局部混凝土声速出现低于低限值异常 |

**续表 5.3.7**

| 类别 | 特　征 |
| --- | --- |
| Ⅳ | 某一检测剖面连续多个测点的声学参数出现明显异常；<br>两个或两个以上的检测剖面在同一深度测点的声学参数出现明显异常；<br>桩身混凝土声速出现普遍低于低限值异常或无法检测首波或声波接收信号严重畸变 |

# 6 其他检测方法

## 6.1 钻 芯 法

**6.1.1** 本方法适用于检测混凝土灌注桩的桩长、桩身混凝土强度、桩身缺陷及其位置、桩底沉渣厚度，判定或鉴别桩底持力层岩土性状、判定桩身完整性类别，受检桩桩径不宜小于800mm，长径比不宜大于30。

**6.1.2** 钻取芯样应采用单动双管钻具。

**6.1.3** 每根受检桩的钻芯孔数、钻孔位置和入持力层深度应符合下列规定：

**1** 桩径小于1.2m的桩宜钻1孔，桩径为1.2m～1.6m的桩宜钻2孔，桩径大于1.6m的桩宜钻3孔；

**2** 当钻芯孔为一个时，宜在距桩中心10cm～15cm的位置开孔；当钻芯孔为两个或两个以上时，开孔位置宜在距桩中心0.15$D$～0.25$D$($D$为直径)内均匀对称布置；

**3** 对桩底持力层的钻探，每根受检桩应有至少1孔钻至设计要求的桩底持力层深度，其他钻芯孔不宜少于0.5m。对桩底持力层有软弱夹层、断裂破碎带和洞隙的工程，每根受检桩的每个钻芯孔对持力层的钻探深度均应满足设计要求；当设计无明确要求时，桩底持力层的钻探深度至少应有1孔不应小于3倍桩径，当3倍桩径大于5m时可钻至5m，当3倍桩径小于3m时应钻至3m，其他钻芯孔不宜小于0.5m；经勘察查明持力层稳定或已进行超前钻探的工程，桩底持力层的钻探数量和深度可适当减少；对非承重的抗拔桩、支护桩，每个钻芯孔钻入桩底岩土层深度不宜小于0.5m。

**6.1.4** 当选择钻芯法进行验证检测时，若检测结果与其他方法相吻合，受检桩的钻芯孔数可为1孔；否则应按本章的有关规定执行。

**6.1.5** 每回次进尺宜控制在1.5m内；钻至桩底时，宜采取适宜的钻芯方法和工艺钻取沉渣并测定沉渣厚度，并采用适宜的方法对桩底持力层岩土性状进行鉴别。

**6.1.6** 钻取的芯样应按回次顺序放进芯样箱中；钻机操作人员应按本标准附录F表F.1的格式及时记录钻进情况和钻进异常情况，对芯样质量进行初步描述；检测人员应按本标准附录F表F.2的格式对芯样混凝土、桩底沉渣以及桩底持力层详细编录。

**6.1.7** 钻芯结束后，应对芯样和钻探标示牌的全貌进行拍照。

**6.1.8** 当单桩质量评价除混凝土强度外满足设计要求时，应从钻芯孔孔底往上用水泥浆回灌封闭；否则应封存钻芯孔，留待处理。

**6.1.9** 截取混凝土抗压芯样试件应符合下列规定：

**1** 当桩长为10m～30m时，每孔不应少于3组；当桩长小于10m时，每孔不应少于2组；当桩长大于30m时，每孔不应少于4组；

**2** 上部芯样位置距桩顶设计标高不宜大于1倍桩径或1.2m，下部芯样位置距桩底不宜大于1倍桩径或1.2m，中间芯样宜等间距截取，每孔取样位置宜在同一深度部位；

**3** 缺陷位置能取样时，应截取一组芯样进行混凝土抗压试验；

**4** 如果同一基桩的钻芯孔数大于一个，其中一孔在某深度存在缺陷时，应在其他孔的该深度处截取芯样进行混凝土抗压试验。

**6.1.10** 当桩底持力层为中、微风化岩层且岩芯可制作成试件时，应在接近桩底部位1m内截取岩石芯样；遇分层岩性时宜在各层取样。岩石芯样加工和测量应按本标准附录G的规定执行。

**6.1.11** 每组芯样应制作3个芯样抗压试件，混凝土芯样试件应按本标准附录G的规定进行加工和测量。

**6.1.12** 混凝土芯样试件的抗压强度试验应按现行国家标准

《普通混凝土力学性能试验方法》GB/T 50081 的有关规定执行。

**6.1.13** 混凝土芯样试件抗压强度试验后，当发现芯样试件平均直径小于 2 倍试件内混凝土粗骨料最大粒径，且强度值异常时，该试件的强度值不得参与统计平均。

**6.1.14** 混凝土芯样试件抗压强度应按下式计算：

$$f_{cu}=\xi\frac{4P}{\pi d^2} \tag{6.1.14}$$

式中：$f_{cu}$——混凝土芯样试件抗压强度（MPa），精确至 0.1MPa；

$P$——芯样试件抗压试验测得的破坏荷载（N）；

$d$——芯样试件的平均直径（mm）；

$\xi$——混凝土芯样试件抗压强度换算系数，可按地方标准规定取值。

**6.1.15** 持力层岩石芯样试件单轴抗压强度应按下式计算：

$$R=\frac{8}{7+2d/H}\cdot\frac{4P}{\pi d^2} \tag{6.1.15}$$

式中：$R$——岩石芯样试件单轴抗压强度（MPa），精确至 0.1 MPa；

$P$——岩石芯样试件抗压试验测得的破坏荷载（N）；

$d$——岩石芯样试件的平均直径（mm）；

$H$——岩石芯样试件高度（mm）。

**6.1.16** 每根受检桩混凝土芯样试件抗压强度应按下列规定确定：

**1** 取一组三块试件强度值的平均值为该组混凝土芯样试件抗压强度代表值；

**2** 同一受检桩同一深度部位有两组或两组以上混凝土芯样试件抗压强度代表值时，取其平均值为该桩该深度处混凝土芯样试件抗压强度代表值；

3　受检桩中不同深度位置的混凝土芯样试件抗压强度代表值中的最小值为该桩混凝土芯样试件抗压强度代表值。

**6.1.17**　每根受检桩桩底持力层的岩石芯样抗压强度应按下列规定评价：

1　岩石芯样试件个数少于3个时，只提供单个芯样试件强度值，不应提供岩石芯样单轴抗压强度代表值；

2　当岩石芯样试件个数大于或等于3个时，若满足其极差不超过平均值的30%，取其平均值为岩石芯样试件单轴抗压强度代表值；若极差超过平均值的30%，取其中最小值为岩石芯样试件单轴抗压强度代表值；

3　不同岩层宜分层评价。

**6.1.18**　桩底持力层性状应根据芯样特征、岩石芯样单轴抗压强度试验、动力触探或标准贯入试验结果，综合判定桩底持力层岩土性状。

**6.1.19**　每根受检桩的桩身完整性类别应按下列方法综合判定：

1　应结合钻芯孔数、现场混凝土芯样特征、芯样试件单轴抗压强度试验结果，按本标准表3.1.7的规定和表6.1.19的特征进行综合判定；

**表6.1.19　桩身完整性判定**

<table>
<tr><th rowspan="2">类别</th><th colspan="3">特征</th></tr>
<tr><th>单孔</th><th>两孔</th><th>三孔</th></tr>
<tr><td rowspan="2">Ⅰ</td><td colspan="3">混凝土芯样连续、完整、胶结好，芯样侧面表面光滑、骨料分布均匀，芯样呈长柱状、断口吻合</td></tr>
<tr><td>芯样侧面仅见少量气孔</td><td>局部芯样侧面有少量气孔、蜂窝麻面、沟槽，但在两孔的同一深度部位的芯样中未同时出现</td><td>局部芯样侧面有少量气孔、蜂窝麻面、沟槽，但在三孔的同一深度部位的芯样中未同时出现</td></tr>
</table>

**续表 6.1.19**

| 类别 | 特征 | | |
|---|---|---|---|
| | 单孔 | 两孔 | 三孔 |
| Ⅱ | 混凝土芯样连续、完整、胶结较好，芯样侧面表面较光滑、骨料分布基本均匀，芯样呈柱状、断口基本吻合 | | |
| Ⅱ | 局部芯样侧面有蜂窝麻面、沟槽或较多气孔；<br>芯样骨料分布极不均匀、芯样侧面蜂窝麻面严重或沟槽连续；但对应部位的混凝土芯样试件抗压强度满足设计要求，否则应判为Ⅲ类 | 芯样侧面有较多气孔，连续的蜂窝麻面、沟槽或局部混凝土芯样骨料分布不均匀，但在两孔的同一深度部位的芯样中未同时出现；<br>芯样侧面有较多气孔，连续的蜂窝麻面、沟槽或局部混凝土芯样骨料分布不均匀，且在两孔的同一深度部位的芯样中同时出现；但该深度部位的混凝土芯样试件抗压强度代表值满足设计要求，否则应判为Ⅲ类；<br>任一孔局部混凝土芯样破碎段长度不大于10cm，且另一孔的同一深度部位的混凝土芯样质量完好，否则应判为Ⅲ类 | 芯样侧面有较多气孔，连续的蜂窝麻面、沟槽或局部混凝土芯样骨料分布不均匀，但在三孔的同一深度部位的芯样中未同时出现；<br>芯样侧面有较多气孔，连续的蜂窝麻面、沟槽或局部混凝土芯样骨料分布不均匀，且在三孔的同一深度部位的芯样中同时出现，但该深度部位的混凝土芯样试件抗压强度代表值满足设计要求，否则应判为Ⅲ类；<br>任一孔局部混凝土芯样破碎段长度不大于10cm，且另外两孔的同一深度部位的混凝土芯样质量完好，否则应判为Ⅲ类 |
| Ⅲ | 大部分混凝土芯样胶结较好，无松散、夹泥现象，但有下列情况之一： | 任一孔局部混凝土芯样破碎段长度大于10cm但不大于20cm，且另一孔的同一深度部位的混凝土芯样质量完好，否则应判为Ⅳ类 | 任一孔局部混凝土芯样破碎段长度大于10cm但不大于30cm，且另外两孔的同一深度部位的混凝土芯样质量完好，否则应判为Ⅳ类； |

续表 6.1.19

| 类别 | 特征 | | |
|---|---|---|---|
| | 单孔 | 两孔 | 三孔 |
| Ⅲ | 局部混凝土芯样破碎段长度不大于10cm;<br>芯样不连续完整、多呈短柱状或块状 | | 任一孔局部混凝土芯样松散段长度不大于10cm,且另外两孔的同一深度部位的混凝土芯样质量完好,否则应判为Ⅳ类 |
| Ⅳ | 有下列情况之一:<br>因混凝土胶结质量差而难以钻进;<br>混凝土芯样任一段松散或夹泥;<br>局部混凝土芯样破碎长度大于10cm | 有下列情况之一:<br>任一孔因混凝土胶结质量差而难以钻进;<br>混凝土芯样任一段松散或夹泥;<br>任一孔局部混凝土芯样破碎长度大于20cm;<br>两孔在同一深度部位的混凝土芯样破碎 | 有下列情况之一:<br>任一孔因混凝土胶结质量差而难以钻进;<br>混凝土芯样任一段夹泥或松散段长度大于10cm;<br>任一孔局部混凝土芯样破碎长度大于30cm;<br>其中两孔在同一深度部位的混凝土芯样破碎、夹泥或松散 |

注:1 如果上一缺陷的底部位置标高与下一缺陷的顶部位置标高的高差小于30cm,则定为两缺陷处于同一深度部位;

2 完整性类别由Ⅳ类往Ⅰ类依次判定。

**2** 混凝土出现分层现象的,宜截取分层部位的芯样进行抗压强度试验。抗压强度满足设计要求的,可判为Ⅱ类;抗压强度不满足设计要求或未能制作成芯样试件的,应判为Ⅳ类;

**3** 存在水平裂缝的,应判为Ⅲ类;对设计有水平力要求的桩基,水平裂缝为整合型且缺陷位置处于主要受力范围内的,应判为Ⅳ类;

**4** 多于三个钻芯孔的桩身完整性可按照表 6.1.19 的规定判定。

**6.1.20** 成桩质量评价应按单根受检桩进行。当出现下列情况之一时，应判定该受检桩不满足设计要求：

**1** 桩身完整性类别为Ⅳ类；

**2** 混凝土芯样试件抗压强度代表值小于混凝土设计强度等级；

**3** 桩长、桩底沉渣厚度不满足设计或规范要求；

**4** 桩底持力层岩土性状（强度）或厚度未达到设计或规范要求。

## 6.2 桩身加载法静载试验

**6.2.1** 当堆载法、锚桩法等常规的基桩静载试验无法实施或设计另有要求时，可采用桩身加载法进行单桩的静载试验。

**6.2.2** 桩身加载法静载试验适用于黏性土、粉土、砂土、碎石土、岩层以及特殊性岩土中的灌注桩和管桩等基桩。

**6.2.3** 为设计提供依据的试桩应加载至破坏，最大双向加载值可根据预估单桩极限承载力的1.2倍～1.5倍选定。

**6.2.4** 对工程桩抽样检测时，最大双向加载值不应小于设计要求的单桩承载力特征值的2倍，试验结束后应在荷载箱处进行高压注浆处理。

**6.2.5** 试验开始时间应同时符合下列规定：

**1** 混凝土强度达到设计强度的70%以上或按强度计算桩身承载力大于荷载箱单向最大加载值的1.5倍；

**2** 土体的休止时间达到本标准表3.3.5中的规定。

**6.2.6** 试验所用荷载箱、位移传感器、钢筋计和数据采集系统应满足试验功能的要求。

**6.2.7** 荷载箱的埋设位置应考虑试验过程中荷载箱上、下桩身阻力的平衡。

**6.2.8** 荷载箱、位移杆与护套管的连接应保证桩体受力垂直、位移观测客观真实，基准桩与基准梁的架设应满足本标准第4.1.3

条的规定。

**6.2.9** 试验加、卸载方式应符合本标准第4.1.4条中第1款和第4款的规定。

**6.2.10** 位移观测采用慢速维持荷载法，每级加、卸载后第1h内应在第5min、第10min、第15min、第30min、第45min、第60min时测读位移，以后每隔30min测读一次，达到相对稳定后方可加、卸下一级荷载。卸载到零后应至少维持2h，并观测残余变形。

**6.2.11** 位移的稳定标准应为：每级加、卸载的1h内向上、向下位移量均不大于0.1mm，并连续出现两次，从加载后30min开始，按1.5h连续三次每30min的位移量计算。

**6.2.12** 对于计算单桩竖向抗压承载力的试验，加载终止条件和相应的最终加载值应分别从向上、向下两个方向按以下规定进行判定和取值：

**1** 累计位移量小于40mm，但加载值已大于或等于预估最大加载值，终止加载。应取本级荷载为最终加载值；

**2** 累计位移量大于或等于40mm，本级荷载下的位移量大于或等于前一级荷载下位移量的5倍时，终止加载。应取其终止时荷载小一级的荷载为最终加载值；

**3** 累计位移量大于或等于40mm，本级荷载加上后24h未达稳定，终止加载。应取其终止时荷载小一级的荷载为最终加载值；

**4** $Q-s$ 曲线出现明显陡变，终止加载。应取发生明显陡变的起始点对应的荷载为最终加载值；

**5** $s-\lg t$ 曲线尾部出现明显弯曲，终止加载。应取前一级荷载为最终加载值；

**6** 当 $Q-s$ 曲线呈缓变型时，可加载至位移60 mm～80mm。

**6.2.13** 对于计算单桩竖向抗拔承载力的试验，加载终止条件和相应的最终加载值应按以下规定进行判定和取值：

**1** 在某级荷载作用下，向上位移量大于前一级荷载位移量的5倍时，应终止加载。应取其终止时荷载小一级的荷载为最终加载值；

**2** 在某级荷载作用下，向上位移量大于前一级荷载位移量的2倍，且经24h尚未达到相对稳定时，应终止加载。应取其终止时荷载小一级的荷载为最终加载值；

**3** 按向上位移量控制，当累计向上位移量超过100mm时，应终止加载。应取其终止时荷载小一级的荷载为最终加载值；

**4** 对于验收抽样检测的工程桩，加载至设计要求的最大上拔荷载值时，应终止加载。应取最大上拔荷载为最终加载值。

**6.2.14** 试验的实测原始数据可由数据采集仪器自动采集，并绘制 $Q-s$、$s-\lg t$、$s-\lg Q$ 等曲线。

**6.2.15** 根据各试桩的最终加载值，桩的极限承载力可按下列公式计算：

**1** 单桩竖向抗压极限承载力可按下式计算：

$$Q_{\mathrm{u}i}=\frac{Q_{\mathrm{uu}i}-W_i}{\gamma_i}+Q_{\mathrm{ul}i} \tag{6.2.15-1}$$

**2** 单桩竖向抗拔极限承载力可按下式计算：

$$Q_{\mathrm{u}i}=Q_{\mathrm{uu}i} \tag{6.2.15-2}$$

式中：$Q_{\mathrm{u}i}$——试桩 $i$ 的单桩极限承载力(kN)；

$Q_{\mathrm{uu}i}$——试桩 $i$ 上段桩的最终加载值(kN)；

$Q_{\mathrm{ul}i}$——试桩 $i$ 下段桩的最终加载值(kN)；

$W_i$——试桩 $i$ 荷载箱上部桩自重(kN)，若荷载箱处于透水层，取浮自重；

$\gamma_i$——试桩 $i$ 的修正系数，根据荷载箱上部土的类别确定：黏性土、粉土 $\gamma_i=0.8$；砂土 $\gamma_i=0.7$；岩石 $\gamma_i=1$；若上部有不同类型的土层，$\gamma_i$ 取加权平均值。

**6.2.16** 可将桩身加载法测得的上、下两段 $Q-s$ 曲线，等效转换为常规方法桩顶加压的 $Q-s$ 曲线，等效转换方法应符合本标准附录H的规定。

**6.2.17** 单桩极限承载力应根据试桩位置、场地岩土工程条件、施工实际情况等综合确定，单桩极限承载力统计值应按本标准第4.1.9条的规定取值。

## 6.3 桩身内力测试

**6.3.1** 桩身内力测试适用于混凝土预制桩、钢桩、组合型桩，也可用于桩身横截面尺寸基本恒定或已知的混凝土灌注桩。

**6.3.2** 桩身内力测试宜采用应变式传感器、钢弦式传感器、滑动测微计。传感器的埋设应符合下列要求：

**1** 传感器应设置在两种不同性质土层的界面处。在地面处或以上应设置一个测量断面作为传感器标定断面。传感器埋设断面距桩顶和桩底的距离不宜小于1倍桩径；

**2** 在同一断面处可对称设置2个～4个传感器，当桩径较大或试验要求较高时取高值；

**3** 采用滑动测微计时，可在桩身内通长埋设1根以上测管，测管内每隔1m设测标1个。

**6.3.3** 根据不同桩型，传感器安装方式应符合下列要求：

**1** 钢桩可将电阻应变计直接粘贴在桩身上，钢弦式传感器可采用焊接或螺栓连接固定在桩身上；

**2** 混凝土桩可采用焊接或绑焊工艺将传感器固定在钢筋笼上，对采用蒸汽养护或高压蒸养的混凝土预制桩，应选用耐高温的电阻应变计、粘贴剂和导线。

**6.3.4** 电阻应变式传感器及其连接电缆均应有可靠的防潮绝缘防护措施；正式测试前，传感器及电缆的系统绝缘电阻不得低于200MΩ。应变测量所用的仪器宜具有多点自动测量功能，仪器的分辨力应优于或等于1$\mu\varepsilon$。

**6.3.5** 弦式钢筋计应按主筋直径大小选择。带有接长杆弦式钢筋计可焊接在主筋上，不宜采用螺纹连接。通过与之匹配的频率仪进行测量，频率仪的分辨力应优于或等于1Hz，仪器的可测频率范围应大于桩在最大加载时的频率的1.2倍。使用前应对钢筋计逐个标定，得出压力或拉力与频率之间的关系。

**6.3.6** 滑动测微计测管的埋设应确保测标同桩身位移协调一致，并保持测标清洁，安装测管应符合下列要求：

**1** 对钢管桩可将测标牢靠焊接在桩壁内侧；

**2** 对非高温养护预制桩可将测管预埋在预制桩中；管桩可在沉桩后将测管放入中心孔中，用含膨润土水泥浆充填测管与桩壁间的空隙；

**3** 对灌注桩，在浇筑混凝土前将测管绑扎在主筋上，并防止钢筋笼过度扭曲。

**6.3.7** 滑动测微计测试前后，应进行仪器标定，获得仪器零点和标定系数。

**6.3.8** 当桩身应变与桩身位移需要同时测量时，桩身位移测试应与桩身应变测试同步。

**6.3.9** 测试数据整理应符合下列规定：

**1** 采用电阻应变式传感器测量但未采用六线制长线补偿时，应按下列公式对实测应变值进行导线电阻修正：

采用半桥测量时：$$\varepsilon=\varepsilon'\left(1+\frac{r}{R}\right) \tag{6.3.9-1}$$

采用全桥测量时：$$\varepsilon=\varepsilon'\left(1+\frac{2r}{R}\right) \tag{6.3.9-2}$$

式中：$\varepsilon$——修正后的应变值；

$\varepsilon'$——修正前的应变值；

$r$——导线电阻(Ω)；

$R$——应变计电阻(Ω)。

**2** 采用弦式钢筋计测量时，将钢筋计实测频率通过率定系数换算成力，再按下式计算成与钢筋计断面处的混凝土应变相等的钢筋应变量：

$$\varepsilon_{si}=\frac{\sigma_{si}}{E_s} \tag{6.3.9-3}$$

式中：$\sigma_{si}$——桩身第 $i$ 断面处的钢筋应力；

$E_s$——钢筋弹性模量；

$\varepsilon_{si}$——桩身第 $i$ 断面处的钢筋应变。

**3** 采用滑动测微计测量时，应按下列公式计算应变：

$$e = (e' - z_0)K \quad (6.3.9\text{-}4)$$

$$\varepsilon = e - e_0 \quad (6.3.9\text{-}5)$$

式中：$e$——仪器读数修正值；

$e'$——仪器读数；

$z_0$——仪器零点；

$K$——率定系数；

$\varepsilon$——应变值；

$e_0$——初始仪器读数修正值。

**4** 在数据整理过程中，应将零漂大、变化无规律的测点删除，求出同一断面有效测点的应变平均值，并应按下式计算该断面处桩身轴力：

$$Q_i = \bar{\varepsilon}_i E_i A_i \quad (6.3.9\text{-}6)$$

式中：$Q_i$——桩身第 $i$ 断面处轴力(kN)；

$\bar{\varepsilon}_i$——第 $i$ 断面处应变平均值，长期监测时应消除桩身徐变影响；

$E_i$——第 $i$ 断面处桩身材料弹性模量(kPa)，当混凝土桩桩身测量断面与标定断面两者的材质、配筋一致时，应按标定断面处的应力与应变的比值确定；

$A_i$——第 $i$ 断面处桩身截面面积($m^2$)。

**5** 按每级试验荷载下桩身不同断面处的轴力值制成表格，并绘制轴力分布图。再由桩顶极限荷载下对应的各断面轴力值按下列公式计算桩侧土的分层极限摩阻力和极限端阻力：

$$q_{si} = \frac{Q_i - Q_{i+1}}{ul_i} \quad (6.3.9\text{-}7)$$

$$q_p = \frac{Q_n}{A_0} \quad (6.3.9\text{-}8)$$

式中：$q_{si}$——桩第 $i$ 断面与 $i+1$ 断面间侧摩阻力(kPa)；

$q_p$——桩的端阻力(kPa)；

$i$——桩检测断面顺序号，$i=1,2,\cdots,n$，并自桩顶以下从小到大排列；

$u$——桩身周长(m)；

$l_i$——第 $i$ 断面与第 $i+1$ 断面之间的桩长(m)；

$Q_n$——桩端的轴力(kN)；

$A_0$——桩端面积($m^2$)。

6 桩身第 $i$ 断面处的钢筋应力可按下式计算：

$$\sigma_{si} = E_s \varepsilon_{si} \tag{6.3.9-9}$$

式中：$\sigma_{si}$——桩身第 $i$ 断面处的钢筋应力(kPa)；

$E_s$——钢筋弹性模量(kPa)；

$\varepsilon_{si}$——桩身第 $i$ 断面处的钢筋应变。

## 6.4 桩基动力特性测试

**6.4.1** 本方法适用于强迫振动和自由振动测试基桩的动力特性，为机器基础的振动和隔振设计提供动力参数。

**6.4.2** 属于周期性振动的机器基础应采用强迫振动测试。

**6.4.3** 采用桩基试验时，桩的类型、截面尺寸、桩长及间距应和工程情况一致。

**6.4.4** 强迫振动测试的激振设备应符合下列要求：

1 当采用机械式激振设备时，工作频率宜为 3Hz～60Hz；

2 当采用电磁式激振设备时，其扰力不宜小于 600N。

**6.4.5** 自由振动测试时，竖向激振可采用铁球，其质量宜为基础质量的 1/100～1/150。

**6.4.6** 传感器宜采用竖向和水平方向的速度型传感器，其通频带应为 2Hz～80Hz，阻尼系数应为 0.65～0.70，电压灵敏度不应小于 30V・s/m，最大可测位移不应小于 0.5mm。

**6.4.7** 采集与记录装置宜采用多通道数字采集和储存系统，数据分析装置应具有频谱分析及分析软件功能。

**6.4.8** 桩基础当采用2根桩时，桩间距应取设计桩基础的间距。桩台边缘至桩轴的距离可取桩间距的1/2；桩台的长宽比应为2∶1，其高度不宜小于1.6m；当需做不同桩数的对比测试时，应增加桩数及相应桩台的面积。

**6.4.9** 当采用机械式激振设备时，地脚螺栓的埋置深度应大于400mm；地脚螺栓或预留孔在基础平面上的位置应符合下列要求：

**1** 当做竖向振动测试时，激振设备的竖向扰力应与基础的重心在同一竖直线上；

**2** 当做水平振动测试时，水平扰力宜在基础沿长度方向的轴线上。

**6.4.10** 安装机械式激振设备时，应将地脚螺栓拧紧，在测试过程中螺栓不应松动。

**6.4.11** 竖向振动测试时，应在基础顶面沿长度方向的两端对称布置各一台竖向传感器。

**6.4.12** 水平回转振动测试时，激振设备的扰力应为水平向；在基础顶面沿长度方向轴线的两端各布置一台竖向传感器，在中间布置一台水平向传感器。

**6.4.13** 扭转振动测试时，应在测试基础上施加一个扭转力矩，使基础产生绕竖轴的扭转振动。传感器应同相位对称布置在基础顶面沿水平轴线的两端，其水平振动方向应与轴线垂直。

**6.4.14** 桩基应提供下列动力参数：

**1** 单桩的抗压刚度；

**2** 桩基抗剪和抗扭刚度系数；

**3** 桩基竖向和水平回转向第一振型以及扭转向的阻尼比；

**4** 桩基竖向和水平回转向以及扭转向的参振质量。

## 6.5 灌注桩成孔质量检测

**6.5.1** 本方法适用于灌注桩成孔质量检测，包括孔壁垂直度、孔径、孔深及沉渣厚度。

**6.5.2** 检测仪器设备应具有良好的稳定性和绝缘性，并具备防尘、防潮、防震等功能，并能在－10℃～＋50℃温度的环境条件下正常工作。

**6.5.3** 成孔质量合格判定标准应符合表 6.5.3 的要求。

**表 6.5.3 灌注桩成孔质量检验标准**

<table>
<tr><th colspan="3">项目名称</th><th>容许误差</th></tr>
<tr><td rowspan="5">桩径容许误差<br>(mm)</td><td colspan="2">泥浆护壁钻孔灌注桩</td><td>－50</td></tr>
<tr><td colspan="2">套管成孔灌注桩</td><td>－20</td></tr>
<tr><td colspan="2">干作业灌注桩</td><td>－20</td></tr>
<tr><td rowspan="2">人工<br>挖孔桩</td><td>混凝土护壁</td><td>±50</td></tr>
<tr><td>钢护筒护壁</td><td>±20</td></tr>
<tr><td colspan="3">垂直度容许偏差(%)</td><td>1</td></tr>
<tr><td colspan="3">孔深偏差(mm)</td><td>＋300</td></tr>
<tr><td rowspan="4">沉渣厚度(mm)</td><td colspan="2">端承桩</td><td>≤50</td></tr>
<tr><td colspan="2">摩擦端承桩</td><td>≤100</td></tr>
<tr><td colspan="2">端承摩擦桩</td><td>≤100</td></tr>
<tr><td colspan="2">摩擦桩</td><td>≤150</td></tr>
</table>

注：1 桩径允许偏差的负值是指个别断面；

2 人工挖孔桩当采用混凝土护壁方式时，垂直度容许偏差为 0.5%；

3 对于作支护的纯摩擦桩，沉渣厚度可按≤300mm 控制。

**6.5.4** 成孔孔径检测应符合下列规定：

**1** 检测前对系统进行标定，标定完成后仪器相关设置与常数在该孔的检测过程中不得变动；

**2** 检测工作应在清孔完毕后进行，当采用超声波法时孔中泥浆气泡应基本消散；

**3** 检测时仪器探头宜对准护筒中心轴线，并连续进行检测；

**4** 检测中探头升降速度不宜大于 10m/min，孔径较大处降低探头提升速度；

5　直径大于 4m 的桩孔、支盘桩孔或有特殊要求时，应增加检测方位，检测剖面应标明与实际方位的关系；

6　连续跟踪检测时间宜为 12h，每隔 3h～4h 检测一次，比较实测数据变化；

7　现场检测记录图应有明显的刻度标记，能够准确显示任何截面的孔径和孔壁的形状，并标记检测时间、设计孔径及孔底深度。

**6.5.5**　接触式仪器组合法成孔垂直度检测应符合以下规定：

1　采用顶角测量方法；

2　检测前应进行孔口校零，检测应自孔口向下分段进行，测点间距宜小于 5m，在顶角变化较大处加密检测点数，必要时重复检测；检测时避开明显扩径段；

3　检测结果以偏心距或测点顶角度表示。

## 6.6　孔内摄像

**6.6.1**　孔内摄像适用于观察桩身完整性、桩身缺陷程度及位置和桩端持力层特征。

**6.6.2**　检测仪器可以采用具有井下视频检测系统的测井仪。

**6.6.3**　检测仪器宜具有照明、防水、摄像、显示、存储等功能。

**6.6.4**　孔内摄像宜配合其他检测方法进行，检测结果宜综合评价桩身完整性。

**6.6.5**　孔内摄像现场检测应符合下列规定：

1　检测孔内干燥或者注满清水；

2　检测重点位置是预制桩接头位置及其他检测方法确定的桩身缺陷位置。

**6.6.6**　桩身缺陷位置应保留摄像记录、桩号及深度。

# 7 检测结果评价和检测报告

**7.0.1** 桩身完整性检测结果应给出每根受检桩的桩身完整性类别。

**7.0.2** 工程桩承载力检测结果应给出每根受检桩的承载力检测值。

**7.0.3** 检测报告工程概况部分由概述、场地工程地质条件、基桩施工简况组成,应包括以下内容:

1 概述包括工程名称,工程地点,建设、监理、施工、设计单位,委托方名称,基础类型,设计要求;

2 场地工程地质条件包括主要岩土工程勘察资料;

3 基桩施工简况包括施工方法,沉桩、成桩日期,施工情况简要说明等。

**7.0.4** 检测报告现场检测部分应包括以下内容:

1 检测目的;

2 检测依据及原则;

3 检测方法;

4 检测设备;

5 检测日期、检测桩桩位布置及数量、环境条件。

**7.0.5** 检测结果的分析和判断部分应包括以下内容:

1 分析计算方法;

2 桩身质量评定等级分类及有关说明;

3 检测结果分析;

4 实测曲线及计算成果曲线。

**7.0.6** 结论部分应包括与检测内容相应的检测结论。

**7.0.7** 检测报告应经过检测、审核、批准人签字后并加盖计量认证专用章和检测单位检测报告专用章后方有效。

# 附录 A　混凝土桩桩头处理要求

**A. 0. 1**　混凝土桩应先凿掉桩顶部的破碎层和软弱混凝土，桩顶应找平以确保水平、平整，桩头中轴线与桩身中轴线应重合。

**A. 0. 2**　桩头主筋应全部直通至桩顶混凝土保护层之下，各主筋应在同一高度上。

**A. 0. 3**　距桩顶 1 倍桩径范围内，宜用厚度为 3mm～5mm 的钢板围裹或距桩顶 1.5 倍桩径范围内设置箍筋，间距不宜大于 100mm。桩顶部应设置三层钢筋网片，钢筋网片间距 60mm～100mm，网片可用铁丝绑紧或焊接固定。

**A. 0. 4**　桩头混凝土强度等级应高于桩身混凝土，且不得低于 C30。

**A. 0. 5**　高应变法检测的测点处截面尺寸应与原桩身截面尺寸相同。

# 附录B 静载试验记录表

**表B.1 单桩竖向静载试验原始记录表**

主要仪器设备编号：　　　　　　　　　　　　　工程名称：

试验项目：□抗压　　□抗拔　　桩号：

| 时间 (min) | 级 | 荷载 (kN) | 位移读数(mm) | | | | 平均 (mm) | 位移差 (mm) | 累计 (mm) |
|---|---|---|---|---|---|---|---|---|---|
| | | | 位移1 | 位移2 | 位移3 | 位移4 | | | |
| | | | | | | | | | |
| | | | | | | | | | |
| | | | | | | | | | |
| | | | | | | | | | |
| | | | | | | | | | |
| | | | | | | | | | |
| | | | | | | | | | |
| | | | | | | | | | |
| | | | | | | | | | |
| | | | | | | | | | |
| | | | | | | | | | |
| | | | | | | | | | |
| | | | | | | | | | |
| | | | | | | | | | |
| | | | | | | | | | |
| | | | | | | | | | |
| | | | | | | | | | |
| 测试时间： | | | | | 校核： | | 记录： | | |

表 B.2　单桩水平静载试验原始记录表

主要仪器设备编号：　　　　　　　　工程名称：

桩号：　　　　　　　　　　　　　　上下表距：

<table>
<tr><th rowspan="2">荷载<br>(kN)</th><th rowspan="2">时间<br>(min)</th><th rowspan="2">循环数</th><th colspan="2">加载(　　)</th><th colspan="2">卸载(　　)</th><th rowspan="2">位移差<br>(mm)</th><th rowspan="2">转角<br>(°)</th><th rowspan="2">备注</th></tr>
<tr><th>上表</th><th>下表</th><th>上表</th><th>下表</th></tr>
<tr><td rowspan="5"></td><td></td><td>1</td><td></td><td></td><td></td><td></td><td></td><td></td><td></td></tr>
<tr><td></td><td>2</td><td></td><td></td><td></td><td></td><td></td><td></td><td></td></tr>
<tr><td></td><td>3</td><td></td><td></td><td></td><td></td><td></td><td></td><td></td></tr>
<tr><td></td><td>4</td><td></td><td></td><td></td><td></td><td></td><td></td><td></td></tr>
<tr><td></td><td>5</td><td></td><td></td><td></td><td></td><td></td><td></td><td></td></tr>
<tr><td rowspan="5"></td><td></td><td>1</td><td></td><td></td><td></td><td></td><td></td><td></td><td></td></tr>
<tr><td></td><td>2</td><td></td><td></td><td></td><td></td><td></td><td></td><td></td></tr>
<tr><td></td><td>3</td><td></td><td></td><td></td><td></td><td></td><td></td><td></td></tr>
<tr><td></td><td>4</td><td></td><td></td><td></td><td></td><td></td><td></td><td></td></tr>
<tr><td></td><td>5</td><td></td><td></td><td></td><td></td><td></td><td></td><td></td></tr>
<tr><td colspan="10">测试时间：　　　　　　　　校核：　　　　　　　　记录：</td></tr>
</table>

# 附录C 高应变法传感器安装

**C.0.1** 检测时应至少对称安装应变式力传感器和加速度传感器各两个(图C.0.1)。传感器与桩顶之间的距离不宜小于$2D$,$D$为试桩的直径或边宽;对于大直径桩,可适当缩小桩顶与传感器之间的距离,但不得小于$1D$。严禁使用单只应变式力传感器或加速度传感器。

**C.0.2** 传感器安装应符合下列规定:

**1** 应变式力传感器和加速度传感器的中心应位于同一水平线上,同一侧的应变式力传感器和加速度传感器之间的水平距离不宜大于80mm。安装完毕后,传感器的中心轴应与桩中心轴保持平行;

**2** 传感器安装面处的材质应均匀、密实、平整,截面附近无任何缺损或突变,且该截面材质和尺寸应与原桩身相同;

**3** 固定传感器的螺栓孔应与桩侧表面垂直;安装完毕后的传感器应紧贴桩身表面,锤击时传感器不得产生滑动。安装应变式传感器时应对其初始应变值进行监视,不得超过该传感器的允许初始应变值。

**C.0.3** 当跟踪检测时,应将传感器连接电缆有效固定。

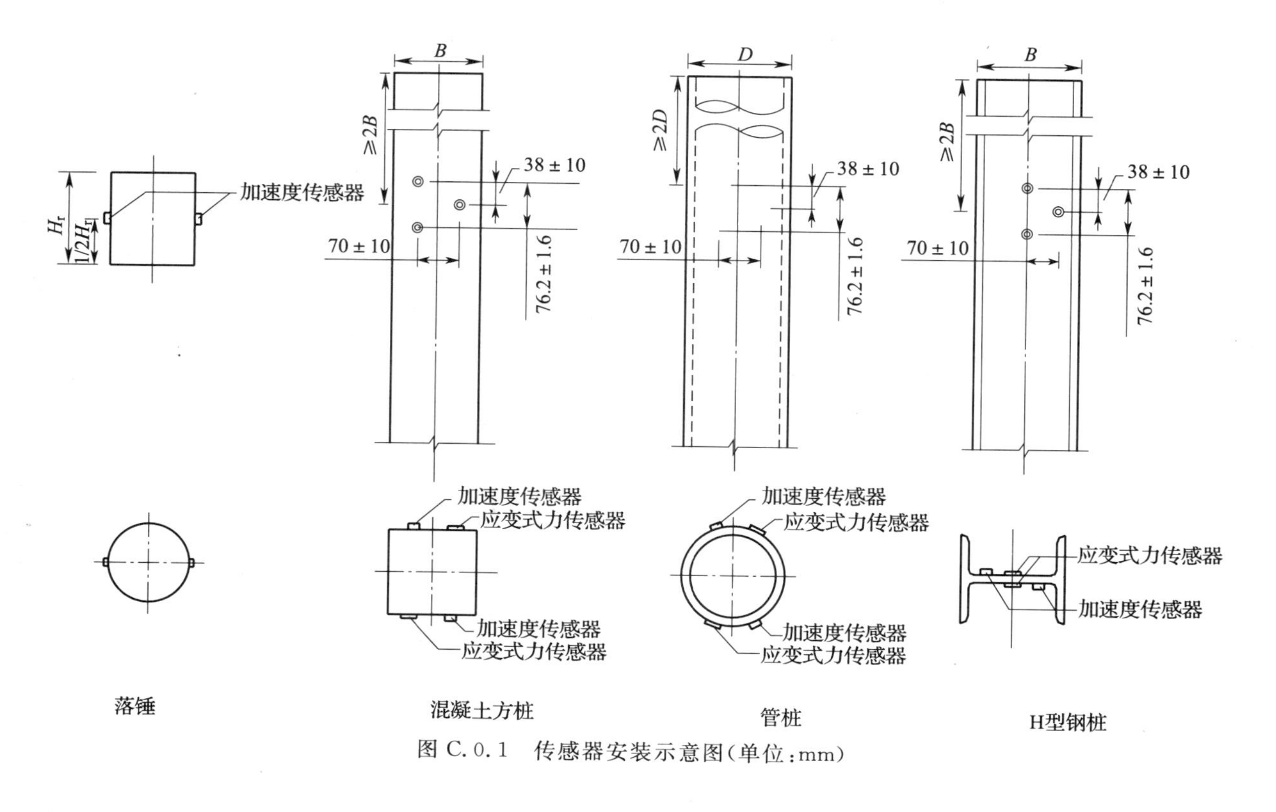


图 C.0.1 传感器安装示意图(单位:mm)

# 附录D　试打桩与打桩监控

## D.1　试　打　桩

**D.1.1**　为验证工程桩的桩型、桩长和桩端持力层、施工机械及施工工艺进行试打桩时，应符合下列规定：

**1**　试打桩位置的工程地质条件应具有代表性；

**2**　试打桩过程中，应按桩端进入的土层逐一进行测试；当持力层较厚时，应在同一土层中进行多次测试。

**D.1.2**　停锤标准应根据试打桩结果的承载力与贯入度关系，结合施工记录综合确定。

## D.2　桩身锤击应力监测

**D.2.1**　桩身锤击应力监测应符合下列规定：

**1**　被监测桩的桩型、材质应与工程桩相同，施打机械的锤型、垫层材料、锤击力和锤击能量波动范围等应与工程桩施工时相同；

**2**　应包括桩身锤击拉应力和锤击压应力两部分。

**D.2.2**　为测得桩身锤击应力最大值，监测时应符合下列规定：

**1**　桩身锤击拉应力宜在预计桩端进入软土层或桩端穿过硬土层进入软夹层时测试；

**2**　桩身锤击压应力宜在桩端进入硬土层或桩周土阻力较大时测试。

## D.3　锤击能量监测

**D.3.1**　桩锤最大动能宜通过测定锤芯最大运动速度确定。

**D. 3. 2** 桩锤传递比应按桩锤实际传递给桩的能量与桩锤额定能量的比值确定，桩锤效率应按实测的桩锤最大动能与桩锤的额定能量的比值确定。

# 附录E　声测管埋设要点

**E.0.1**　根据桩径埋设声测管，埋设数量应符合以下要求：

**1**　桩身直径 $D$ 小于或等于 800mm 时，应采用 2 根管；

**2**　桩身直径 $D$ 大于 800mm 且小于或等于 1500mm 时，不应少于 3 根管；

**3**　桩身直径 $D$ 大于 1500mm 时，不应少于 4 根管。

**E.0.2**　声测管应有足够的径向刚度，声测管材料的温度系数应与混凝土接近，内径宜比换能器外径大 15mm，宜为 50mm～60mm，壁厚不小于 3mm；声测管下端封闭、上端加盖，管内无异物，连接处应光顺过渡，不漏水。管口应高出桩顶 100mm 以上，且各声测管管口高度宜一致。应采取适宜的方法固定声测管，使之成桩后相互平行。

**E.0.3**　声测管宜以正北方向为起始点按顺时针旋转方向呈对称形状进行布置（图 E.0.3）。

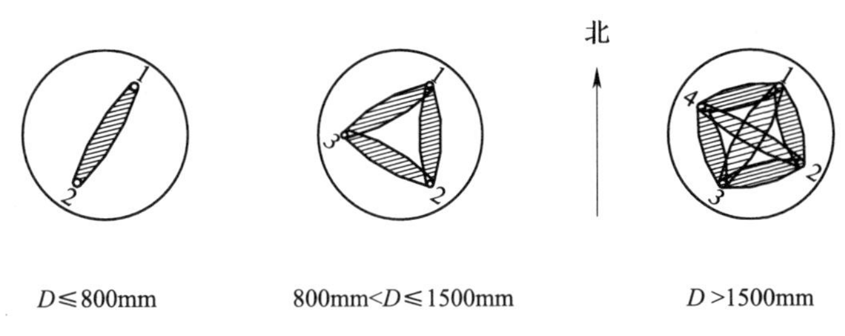


图 E.0.3　声测管布置图

# 附录F 钻芯法检测记录表

**表 F.1 钻芯法检测现场操作记录表**

<table>
<tr><td colspan="2">桩号</td><td colspan="2"></td><td>孔号</td><td></td><td>工程名称</td><td colspan="2"></td></tr>
<tr><td colspan="2">时间</td><td colspan="3">钻进(m)</td><td rowspan="2">芯样编号</td><td rowspan="2">芯样长度(m)</td><td rowspan="2">残留芯样</td><td rowspan="2">芯样初步描述及异常情况记录</td></tr>
<tr><td>自</td><td>至</td><td>自</td><td>至</td><td>计</td></tr>
<tr><td></td><td></td><td></td><td></td><td></td><td></td><td></td><td></td><td></td></tr>
<tr><td></td><td></td><td></td><td></td><td></td><td></td><td></td><td></td><td></td></tr>
<tr><td></td><td></td><td></td><td></td><td></td><td></td><td></td><td></td><td></td></tr>
</table>

检测日期： 机长： 记录： 第 页共 页

**表 F.2 钻芯法检测芯样编录表**

<table>
<tr><td>工程名称</td><td colspan="2"></td><td>日期</td><td></td></tr>
<tr><td>桩号/钻芯孔号</td><td></td><td>桩径</td><td>混凝土设计强度等级</td><td></td></tr>
<tr><td>项目</td><td>分段(层)深度(m)</td><td>芯样描述</td><td>取样编号<br>取样深度</td><td>备注</td></tr>
<tr><td>桩身混凝土</td><td></td><td>混凝土钻进深度，芯样连续性、完整性、胶结情况、表面光滑情况、断口吻合程度、混凝土芯是否为柱状、骨料大小分布情况，以及气孔、空洞、蜂窝麻面、沟槽、破碎、夹泥、松散的情况</td><td></td><td></td></tr>
<tr><td>桩底沉渣</td><td></td><td>桩端混凝土与持力层接触情况、沉渣厚度</td><td></td><td></td></tr>
<tr><td>持力层</td><td></td><td>持力层钻进深度，岩土名称、芯样颜色、结构构造、裂隙发育程度、坚硬及风化程度；<br>分层岩层应分层描述</td><td>（强风化或土层时的动力触探或标贯结果）</td><td></td></tr>
</table>

检测单位： 记录： 校核：

**表 F.3 钻芯法检测芯样综合柱状图**

<table>
<tr><td colspan="2">桩号/孔号</td><td></td><td colspan="2">混凝土设计<br>强度等级</td><td></td><td>桩顶<br>标高</td><td></td><td>开孔<br>时间</td><td></td></tr>
<tr><td colspan="2">施工桩长</td><td></td><td colspan="2">设计桩径</td><td></td><td>钻孔<br>深度</td><td></td><td>终孔<br>时间</td><td></td></tr>
<tr><td>层<br>序<br>号</td><td>层底<br>标高<br>(m)</td><td>层底<br>深度<br>(m)</td><td>分层<br>厚度<br>(m)</td><td>混凝土/岩土<br>芯柱状图<br>(比例尺)</td><td colspan="2">桩身混凝土、<br>持力层描述</td><td>芯样强<br>度序号<br>深度(m)</td><td colspan="2">备注</td></tr>
<tr><td></td><td></td><td></td><td></td><td>□<br>□<br>□</td><td colspan="2"></td><td></td><td colspan="2"></td></tr>
<tr><td></td><td></td><td></td><td></td><td></td><td colspan="2"></td><td></td><td colspan="2"></td></tr>
<tr><td></td><td></td><td></td><td></td><td></td><td colspan="2"></td><td></td><td colspan="2"></td></tr>
</table>

编制： 校核：

注：□代表芯样试件取样位置。

# 附录G 芯样试件加工和测量

**G.0.1** 宜采用双面锯切机加工芯样试件。加工时应将芯样固定，锯切平面垂直于芯样轴线。锯切过程中应淋水冷却金刚石圆锯片。

**G.0.2** 锯切后的芯样试件，当试件平整度及垂直度不能满足要求时，应选用以下方法进行端面加工：

**1** 在磨平机上磨平；

**2** 用水泥砂浆或水泥净浆、硫磺胶泥或硫磺等材料在专用补平装置上补平。水泥砂浆或水泥净浆补平厚度不宜大于5mm，硫磺胶泥或硫磺补平厚度不宜大于1.5mm。补平层应与芯样结合牢固，受压时补平层与芯样的结合面不得提前破坏。

**G.0.3** 试验前，应对芯样试件的几何尺寸做下列测量：

**1** 平均直径：在相互垂直的两个位置上，用游标卡尺测量芯样表观直径偏小的部位的直径，取其两次测量的算术平均值，精确至0.5mm；

**2** 芯样高度：用钢卷尺或钢板尺进行测量，精确至1mm；

**3** 垂直度：用游标量角器测量两个端面与母线的夹角，精确至0.1°；

**4** 平整度：用钢板尺或角尺紧靠在芯样端面上，一面转动钢板尺，一面用塞尺测量与芯样端面之间的缝隙。

**G.0.4** 试件有裂缝或有其他较大缺陷、混凝土芯样试件内含有钢筋以及试件尺寸偏差超过下列数值时，不得用作抗压强度试验：

**1** 混凝土芯样试件高度小于0.95$d$或大于1.05$d$时，$d$为芯样试件平均直径；

**2** 岩石芯样试件高度小于0.95$d$或大于2.10$d$时；

**3** 沿试件高度任一直径与平均直径相差达 2mm 以上时；

**4** 试件端面的不平整度在 100mm 长度内超过 0.1mm 时；

**5** 试件端面与轴线的垂直度超过 2°时；

**6** 芯样试件平均直径小于 2 倍表观混凝土粗骨料最大粒径时。

# 附录 H　桩身加载法静载试验等效转换方法

将桩身加载法静载试验获得的向上、向下两条 $Q-s$ 曲线等效转换为相应传统静载试验的一条 $Q-s$ 曲线（图 H.0.1），以确定桩顶沉降。

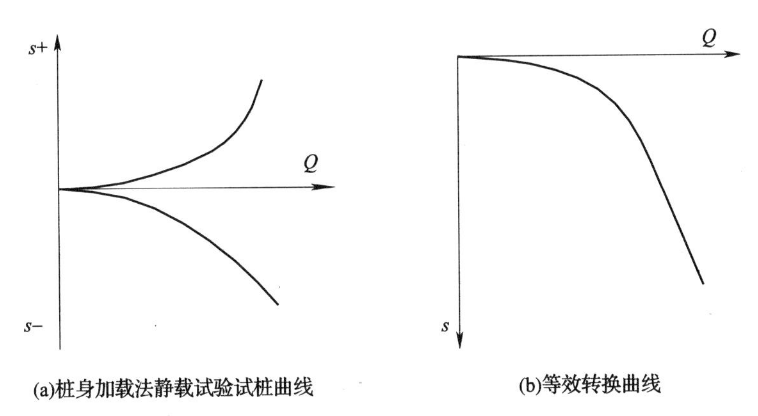


图 H.1　桩身加载法静载试验测试结果转换示意图

桩身加载法静载试验测试结果向传统静载试验的桩顶荷载-位移曲线转换的方法是：根据向上、向下位移同步的原则拟合，即通过位移进行叠加荷载的方法，并可按下列公式计算：

$$Q=(Q_u-W)/\gamma+Q_l \tag{H.1}$$

$$s=s_l+\Delta s \tag{H.2}$$

$$\Delta s=\frac{[(Q_u-W)/\gamma+2Q_l]L}{2E_pA_p} \tag{H.3}$$

式中：$Q$——转换后桩顶等效荷载（kN）；

$Q_u$——某一位移对应的荷载箱向上加载值（kN）；

$Q_l$——某一位移对应的荷载箱向下加载值（kN）；

$W$——试桩荷载箱上部桩自重(kN)。

$\gamma$——试桩的修正系数；

$s$——桩顶等效荷载 $Q$ 对应的桩顶位移(mm)；

$s_1$——荷载箱向下位移(mm)；

$\Delta s$——桩上段的桩身压缩量(mm)；

$L$——上段桩长度(m)；

$E_P$——桩身弹性模量(kPa)；

$A_P$——桩身截面面积($m^2$)。

# 本标准用词说明

**1** 为便于在执行本标准条文时区别对待，对要求严格程度不同的用词说明如下：

**1**）表示很严格，非这样做不可的：

正面词采用“必须”，反面词采用“严禁”；

**2**）表示严格，在正常情况下均应这样做的：

正面词采用“应”，反面词采用“不应”或“不得”；

**3**）表示允许稍有选择，在条件许可时首先应这样做的：

正面词采用“宜”，反面词采用“不宜”；

**4**）表示有选择，在一定条件下可以这样做的，采用“可”。

**2** 条文中指明应按其他有关标准执行的写法为：“应符合……的规定”或“应按……执行”。

# 引用标准名录

《普通混凝土力学性能试验方法》GB/T 50081

中华人民共和国电力行业标准

# 电力工程基桩检测技术规程

DL/T 5493—2014

## 条 文 说 明

# 制定说明

《电力工程基桩检测技术规程》DL/T 5493—2014，经国家能源局2014年10月15日以第11号公告批准发布。

电力工业是关系到国家安全、经济发展和社会稳定的重要基础产业。而电力建设中的质量问题和重大质量事故多与基础工程质量有关，其中有不少是由于桩基工程的质量问题，而直接危及主体结构的正常使用与安全。

本标准力求体现行业水平，反映电力行业基桩检测工作特点，同时注重标准的指导性和操作空间，力求实现技术上的先进性、经济上的合理性、实施上的可操作性三者的有机结合，能够起到指导电力基桩检测工作的有效开展和不断提高的作用。本标准尽力与相应国家标准和其他电力行业标准相协调，同时也吸取了其他行业标准的有益经验。

本标准编制过程中，编制组总结了电力行业几十年来基桩检测的新经验，调研了检测技术的新进展，完成了《港口、水利等行业基桩检测技术调查》和《灌注桩综合检测技术实例分析研究》专题报告，吸收了行业内外相关科研应用成果，征求了行业内设计单位的意见，最后经专家审查并修改定稿。

为了便于广大检测、设计、施工、科研、学校等单位的有关工作人员在使用本标准时能正确理解和执行条文规定，《电力工程基桩检测技术规程》编制组按章、节、条顺序编制了本标准的条文说明，对条文规定的目的、依据以及执行中需注意的有关事项进行了说明。但是，本条文说明不具备与标准正文同等的法律效力，仅供使用者作为理解和把握标准规定的参考。

# 目　　次

# 1 总　则

**1.0.1** 由于电力工程投资高、建设规模大，且一般具有荷重大、沉降变形控制要求较高等特点，桩基成为广泛采用的基础形式，应用了多种预制混凝土桩、灌注桩和钢桩，不仅用桩数量巨大而且直径较大、长度较长，特别是近年来，随着火力发电机组容量不断增大、跨区域超高压电网及大量大跨越、变电所、风力发电工程的建设，如何控制、保证桩基工程的质量，一直备受建设、施工、设计、监理各方以及建设行政主管部门的高度关注。

桩基工程除因受岩土工程条件、基础与结构设计、桩土体系相互作用、施工以及专业技术水平和经验等关联因素的影响而具有复杂性外，桩的施工还具有高度的隐蔽性，发现问题难、事故处理更难，因此，基桩检测工作成为整个基桩工程中不可缺少的重要环节，成为控制地下基础工程质量的关键之一，只有提高基桩检测工作的质量和检测评定结果的可靠性，才能真正做到确保桩基工程的质量与安全。寻找一种可以广泛应用的、可靠的检测手段和评价方法，一直是从事这方面工作的广大工程技术人员研究的主题。随着科学技术的进步，20 世纪 80 年代以来，我国基桩检测技术特别是基桩动测技术得到了飞速的发展，使基桩质量的普查、承载力的补充判定和抽检成为现实，为有效控制桩基工程质量提供了可能。基桩动测技术在电力工程的应用已有二十余年的历史，尤其是近十年来有了长足的进步，具有相当的技术基础，积累了丰富的实践经验，基桩高应变动测、低应变动测、静载测试、超声波透射和钻孔取芯等检测技术解决了电力工程中实际问题，为确保电力工程的基础质量、保障人民生命财产的安全做出了重要贡献。但是，由于缺乏一个统一的技术标准，使检测人员在方法应用、检测数据处理和评判时比较困难，影响了基桩检测工作的质量，漏判、误判现象时有发生，因此急需加强基桩检测技术的管理，使基桩检测技术标准化、规范化，进一步促进基桩检测技术的进步，根据电力工程的特点，制订出一部适合于电力工程的行业检测技术规程是十分必要的。

**1.0.2** 本标准主要适用于电力工程中的基桩，其他交通、铁路、港口等领域的基桩检测可参照使用，但应该注意在参照使用本标准时，应以其他建筑工程的有关专业规范、规程为主；本标准所指的基桩是混凝土灌注桩、混凝土预制桩（包括预应力管桩）和钢桩。

**1.0.3** 基桩检测的目的是确保桩基工程的安全与正常使用，它不仅和基桩本身质量有关，而且与地质条件、地基基础设计等级、地基基础类型、施工质量可靠性等密切相关；实测的数据和信号也包含了诸多地质条件、桩身材料、不同桩型及施工工艺和流程、桩的休止时间、检测方法的局限性和被检桩的代表性等各种因素和条件的影响，因此在对基桩工程进行评价时，应综合考虑分析。

# 2 术语和符号

## 2.1 术　　语

**2.1.1** 基桩：一般指桩基础中的单桩。

**2.1.2** 桩身完整性是一个综合定性指标，而非严格的定量指标，其类别是按缺陷对桩身结构承载力的影响程度划分的。桩身完整性是反映桩身截面尺寸大小、材料密实性和连续性的综合指标，可以用桩身力学阻抗（波阻抗）来表征：

$$Z = \rho c A \tag{1}$$

式中：$Z$——桩身力学阻抗；

$\rho$——桩身材料质量密度；

$c$——应力波纵波速度；

$A$——桩身截面面积。

桩身阻抗变小，说明了桩身中某点存在着不利缺陷，对于灌注桩，缩颈意味着截面面积 $A$ 的减少，离析相对应的是桩身材料质量密度 $\rho$ 和应力波纵波速度 $c$ 的减少，夹泥意味着桩身混凝土截面 $A$ 的减少和密度 $\rho$、波速 $c$ 的变化，因此，研究桩身的完整性实质上就是研究桩身阻抗的变化，限于目前检测技术发展的水平，尚无法定量、准确地判断桩身截面的尺寸、桩身材料的质量密度及该检测点的应力波速度，因此桩身完整性应该说是一个综合定性指标，而非严格的定量指标，反映在桩身截面尺寸上也仅是上、下截面相对变化而非截面的绝对尺寸，本标准中检测、判断时是以设计要求作为参照标准的，因此，在具体工程中，要求检测、审核人员应采用综合分析的方法，并具有较为丰富的实践经验。

# 3 基本规定

## 3.1 一般规定

**3.1.1** 综合试桩检测为基桩设计、施工、检测提供依据，在工程桩施工前进行。施工过程工程桩跟踪检测包括打入桩高应变跟踪检测和灌注桩成孔质量检测。施工后工程桩验收检测主要为工程质量验收提供依据。

综合试桩是指试桩过程中进行多个试验、检测项目的综合性试验，是近年逐步发展起来的一种新的试桩方法，特别是在某些大型工程和重点工程中得到应用，它通过高应变法、低应变法、静载试验、成孔质量检测和声波透射法等多种检测手段获得更多的桩-土体系参数，为设计单位在选定桩型和桩端持力层位置、掌握桩侧桩端阻力分布并确定基桩承载力提供设计依据，并优化桩基方案，为工程施工图设计提供可靠和经济合理的桩基设计参数，并为工程施工提供必要的施工工艺控制参数，在多个大型电力工程建设中发挥了重要作用；打入桩在施工过程中进行高应变跟踪检测可以及时发现施工工艺问题、地质条件异常变化及基桩完整性问题，并可适时验证基桩承载力是否满足设计要求，在具体工程施工过程中可以提早发现问题并及时解决问题，避免不必要的经济损失及延长工期，其重要性在多个电力工程中得到有效验证，值得大力推广。

**3.1.2** 施工前进行综合试桩，目的是为设计提供依据。对设计等级高且缺乏地区经验的工程，为获得既经济又可靠的设计施工参数，减少盲目性，前期试桩尤为重要。另外，如果施工时桩参数发生了较大变动或施工工艺发生了变化，应重新试桩。

**3.1.5** 本条规定参考现行国家标准《岩土工程勘察规范》GB 50021 制订。

## 3.2 检测方法和内容

**3.2.1** 表 3.2.1 所列的 12 种方法是基桩检测中最常用的检测方法。对于冲钻孔、挖孔和沉管灌注桩以及预制桩等桩型，可采用其中多种甚至全部方法进行检测；但对异型桩、组合型桩，如支盘桩、大直径扩底桩等，表 3.2.1 中的 12 种方法就不能完全适用(如高、低应变动测法和声波透射法)。

因此，在具体选择检测方法时，应根据检测目的、内容和要求，结合基桩特点、方法适应性、试桩结果，考虑设计、地质条件、施工因素和工程重要性等情况确定，不允许超适用范围滥用。同时也要兼顾实施中的经济合理性，即在满足正确评价的前提下，做到快速经济。

**3.2.3** 高应变法作为一种以检测承载力为主的试验方法，由于检测人员水平、设备匹配能力、桩土相互作用复杂性等原因，尚不能完全取代静载试验。该方法的可靠性的提高，在很大程度上取决于检测人员的技术水平和经验。当进行过综合试桩并有静载试验、高应变检测对比数据的情况下，高应变法分析解释结果的准确程度会大大提高。

**3.2.4** 打入桩在施工过程中进行高应变跟踪检测可以及时发现施工工艺问题、地质条件异常变化及基桩完整性问题，并可适时验证基桩承载力是否满足设计要求，故本条建议打入桩在施打过程中宜采用高应变动测法对基桩进行跟踪检测。

**3.2.6** 由于检测成本和时间问题，很难做到对桩基工程全部基桩进行检测。施工后验收检测的最终目的是查明隐患、确保安全。为了在有限的抽检数量中更能充分暴露桩基存在的质量问题，宜优先抽检本条第 1 款～第 5 款所列的桩，其次再考虑抽样的随机性。

## 3.3 检测工作程序

**3.3.1** 检测机构应遵循的常用检测工作程序见图1。实际执行检测程序中，由于不可预知的原因，如委托要求的变化、现场调查情况与委托方介绍的不符，或在施工过程中发现异常，或在现场检测尚未全部完成就已发现质量问题而需要进一步排查，都可能使原检测方案中的抽检数量、受检桩桩位、检测方法发生变化。如首先用低应变法扩检（或普测），再根据低应变法检测结果，采用钻芯法、高应变法或静载试验等其他检测方法对有缺陷的桩重点抽测。总之，检测方案并非一成不变，可根据实际情况动态调整。

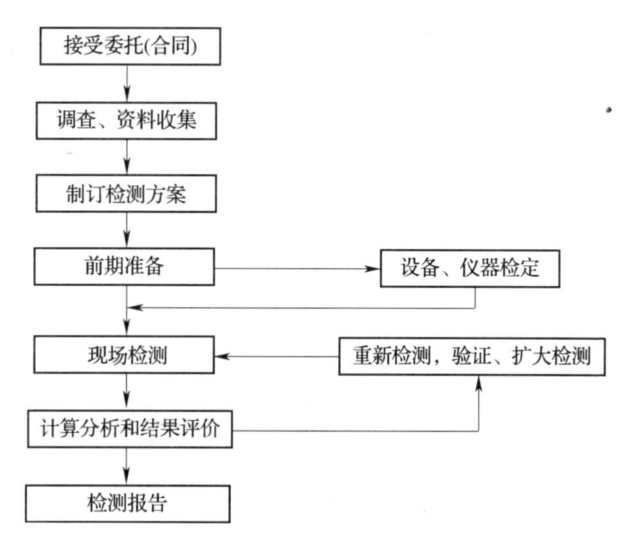


图1 检测工作程序框图

**3.3.2** 本条对调查阶段工作提出了具体要求。为了正确地对基桩质量进行检测和评价，提高基桩检测工作的质量，应尽可能详细地了解和搜集有关的技术资料，另外，有时委托方的介绍和提出的要求是笼统的、非技术性的，也需要通过调查来进一步明确委托方的具体要求和现场实施的可行性；有些情况下还需要检测技术人员到现场了解和搜集资料。

**3.3.4** 试验用的计量检测仪器必须送至法定计量检定单位进行定期检定，使用时必须在有效的计量检定周期内，这是我国《计量法》的要求，以保证检测数据的可靠性和可追溯性。检测前，应进行检查，发现问题后应及时进行重新检定。

**3.3.6** 相对于静载试验而言，本标准规定的完整性检测（除钻芯法外）方法作为普查手段，具有速度快、费用低和抽检数量大的特点，容易发现桩基的整体施工质量问题，至少能为有针对性地选择静载试验或高应变动测提供依据。所以，完整性检测安排在承载力检测之前是合理的。当基础埋深较大时，基坑开挖产生土体侧移将桩推断或机械开挖将桩碰断的现象时有发生，此时完整性检测应等到开挖至基底标高后进行。

**3.3.9** 本条内容针对检测中出现的缺乏依据，无法或难于定论的情况，提出了可用的验证检测原则。应该指出：桩身完整性不符合要求和单桩承载力不满足设计要求是两个独立概念。完整性为Ⅰ类或Ⅱ类而承载力不满足设计要求显然存在结构安全隐患；竖向抗压承载力满足设计要求而完整性为Ⅲ类或Ⅳ类也可能存在安全和耐久性方面的隐患。

## 3.4 检测数量

**3.4.3** 本条的要求恰好是在打入桩（特别是长桩、超长桩）情况下的高应变法技术优势所在。进行打桩过程监控可减少桩的破损率和选择合理的入土深度，控制打桩过程中的桩身应力，确定施工工艺参数及停锤标准，进而提高沉桩效率，验证桩设计参数的合理性。

**3.4.5** 打入桩在施工过程中进行高应变跟踪检测可以及时发现施工工艺问题、地质条件异常变化及基桩完整性问题，并可适时验证基桩承载力是否满足设计要求，故本条将打入式预制桩打桩过程跟踪检测数量下限加以限定。

**3.4.6** 本条规定了混凝土灌注桩的桩身完整性验收检测的抽检数量，每个承台抽检桩数不得少于1根可以保证桩身完整性抽检的随机性和全面覆盖；按检测等级确定灌注桩抽检比例大小，符合惯例，是合理的。端承型大直径灌注桩一般设计承载力高，桩身质量是控制承载力的主要因素；随着桩径的增大，尺寸效应对低应变法的影响加剧，而钻芯法、声波透射法恰好适合于大直径桩的检测（对于嵌岩桩，采用钻芯法可同时钻取桩端持力层岩芯和检测沉渣厚度）。同时，对大直径桩采用联合检测方式，多种方法并举，可以实现低应变法与钻芯法、声透法之间的相互补充或验证，提高完整性检测的可靠性。

当检测数据难以评价受检桩的桩身质量，不能确定桩身完整性类别时，不得计入本条规定的抽检桩数范围内，应重新确定受检桩或重新选择检测方法，以确保抽检数满足本条的规定。

**3.4.14** 通常，因初次抽样检测数量有限，当抽样检测中发现承载力不满足设计要求或完整性检测中Ⅲ类、Ⅳ类桩比例较大时，应会同有关各方分析和判断桩基整体的质量情况，如果不能得出准确判断、为补强或设计变更方案提供可靠依据时，应扩大检测。扩大检测数量宜根据地质条件、桩基设计等级、桩型、施工质量变异性等因素合理确定，并应经过有关各方确认。

# 4　单桩静载试验

## 4.1　单桩竖向抗压静载试验

**4.1.3**　本条规定了竖向抗压静载试验的一般要求，与其他行业标准基本一致，也是电力行业内惯用的做法。

**1**　试验过程中，桩头通常要承受较大的竖向荷载和偏心荷载，桩头加固处理的目的是保证试验不至于因为桩头破坏而无法进行。对预制桩，如未进行截桩处理、桩头无损坏，则无需加固；对预应力管桩，尤其是截桩后，应采用填芯处理。对灌注桩，因桩顶混凝土强度相对较低，应按要求进行特殊的桩头处理。

**2**　目前测量沉降量的方法通常采用基准桩、基准梁和传感器组成的测量装置。由于试验桩、锚桩及堆载等因素会导致试验桩一定范围内地面的变形，要求基准桩置于地面变形影响范围以外，通常采用工字钢作为基准梁，一般高跨比不小于1/40，必要时采取措施，减少温度、振动及外界影响对测量结果的影响。目前国内已有单位开发出先进的观测装置，如“无基准梁垂直沉降远程测量装置”，可有效避免外界因素对观测结果的影响。

**4**　桩的竖向静载试验通常只进行桩顶沉降和回弹观测，开展桩身(端)沉降的观测，对分析桩的沉降构成，桩周土、桩端土的应力应变特征，桩的破坏模式，桩身残余应力等具有重要的意义。

**5**　为防止加载偏心，千斤顶的合力中心应与反力装置的重心、桩轴线重合，并保证合力方向垂直。

**4.1.4**　按本条第2款，慢速维持荷载法每级荷载持载时间最少为2h。对绝大多数桩基而言，为保证上部结构正常使用，控制桩基绝对沉降是第一重要的，这是地基基础按变形控制设计的基本原则。在工程桩验收检测中，国内某些行业或地方标准允许采用快速维持荷载法。

国内从20世纪70年代就开始应用快速维持荷载法。快速维持荷载法由于每级荷载维持时间为1h,各级荷载下的桩顶沉降相对慢速维持荷载法确实要小一些。相对而言,慢速维持荷载法的加荷速率比建筑物建造过程中的施工加载速率要快得多,慢速维持荷载法试桩得到的使用荷载对应的桩顶沉降与建筑物桩基在长期荷载作用下的实际沉降相比,要小几倍到十几倍。所以,本标准中的快、慢速试桩沉降差异是可以忽略的。

快速维持荷载法试验得到的极限承载力一般略高于慢速维持荷载法,其中黏性土中桩的承载力提高要比砂土中的桩明显。

在我国,如有些软土中的摩擦桩,按慢速维持荷载法加载,在2倍设计荷载的前几级,就已出现沉降稳定时间逐渐延长,即在2h甚至更长时间内不收敛。此时,采用快速维持荷载法是不适宜的。而也有很多地方的工程桩验收试验,在每级荷载施加不久,沉降迅速稳定,缩短持载时间不会明显影响试桩结果,且因试验周期的缩短,又可减少昼夜温差等环境影响引起的沉降观测误差。在此,建议快速维持荷载法按下列步骤进行:

(1)每级荷载施加后维持1h,按第5min、第15min、第30min测读桩顶沉降量,以后每隔15min测读一次。

(2)测读时间累计为1h时,若最后15min时间间隔的桩顶沉降增量与相邻15min时间间隔的桩顶沉降增量相比未明显收敛时,应延长维持荷载时间,直至最后15min的沉降增量小于相邻15min的沉降增量为止。

(3)终止加荷条件可按本标准第4.1.5条第1款、3款、4款、5款执行。

(4)卸载时,每级荷载维持15min,按第5min、第15min测读桩顶沉降量后,即可卸下一级荷载。卸载至零后,应测读桩顶残余沉降量,维持时间为2h,测读时间为第5min、第15min、第30min,以后每隔30min测读一次。

**4.1.5** 本条规定了终止试验加载的条件。为设计提供依据的竖向抗压静载试验通常加载至桩周土或桩身破坏，试验过程表现为沉降量大、难以稳定的特点；或是加载至反力不够、锚桩上拔量大、达到设备极限无法继续试验。

**1** 当桩身存在水平整合型缝隙、桩端有沉渣或吊脚时，在较低竖向荷载时常出现本级荷载沉降超过上一级荷载对应沉降5倍的陡降，当缝隙闭合或桩端与硬持力层接触后，随着持载时间或荷载增加，变形梯度逐渐变缓；当桩身强度不足、桩被压断时，也会出现陡降，但与前相反，随着沉降增加，荷载不能维持甚至大幅降低。所以，出现陡降后不宜立即卸荷，而应使桩下沉量超过40mm，以大致判断造成陡降的原因。

**5** 工程桩作为锚桩时，应验算锚桩拔力，并监测锚桩上拔量，以不影响工程桩的使用功能为前提，一般按短桩不超过5mm，长桩不超过10mm考虑。

**6** 长(超长)桩、大直径桩的 $Q-s$ 曲线一般为缓变型，当桩顶沉降量达到40mm时，桩端位移量还很小，桩端阻力未完全发挥，这时应继续加载至沉降超过40mm，因此，放宽桩顶总沉降量控制标准是合理的。

**4.1.8** 本条是关于单桩竖向抗压极限承载力 $Q_u$ 的规定。

**4** 对于长桩、H型钢桩和钢管桩，桩顶受压后，桩身弹性压缩量是不容忽略的，竖向抗压极限承载力对应的总沉降量应适当加大。桩身弹性压缩量可通过最大试验荷载时的桩身轴力计算确定。对于钢桩，桩长不超过40m时，单桩竖向抗压极限承载力宜取 $s=100$mm对应的荷载值；桩长大于40m时，宜取桩长每增加10m，沉降量相应增加10mm对应的荷载值。

## 4.2 单桩竖向抗拔静载试验

**4.2.1** 火力发电厂中的高耸建筑物，如烟囱、送电线路中的大跨越塔基一般多为上拔力控制，目前单桩竖向抗拔静载试验是电力工程中检测抗拔极限承载力最直接、可靠的方法。

**4.2.2** 当为设计提供依据时，应加载到能判别单桩抗拔极限承载力为止，或加载到桩身材料设计强度限值，这里所说的限值对钢筋混凝土桩而言，实则为钢筋的强度设计值。考虑到可能出现承载力变异和钢筋受力不均等情况，最好适当增加试桩的配筋量。工程桩验收检测时，要求加载量不低于单桩竖向抗拔承载力特征值2.0倍，旨在保证桩侧岩土阻力具有足够的安全储备。

当设计对抗拔桩有裂缝控制要求时，抗裂验算给出的荷载可能小于或远小于单桩竖向抗拔承载力特征值的2.0倍，因此试验时的最大上拔荷载只能按设计要求确定。设计对桩上拔量有要求时也如此。

**4.2.3** 本条规定了竖向抗拔静载试验的一般要求，其他有关加载装置、位移观测仪器的规定可参照竖向抗压静载试验中的有关规定。

**5** 试验前检测桩身完整性的目的是防止因为桩身自身质量问题而影响试验成果。灌注桩局部扩径或出现扩大头，将影响抗拔试验成果，因这类桩的抗拔承载力缺乏代表性，特别是扩大头桩及桩身中下部有明显扩径的桩，其抗拔极限承载力远远高于长度和桩径相同的非扩径桩，且相同荷载下的上拔量也有明显差别。因此为设计提供依据的抗拔试验灌注桩在浇注前应进行成孔质量检测。对有接头的预制桩，应进行接头抗拉强度验算，以确保试验的顺利进行。

**4.2.5** 从抗拔桩荷载传递机理分析，桩侧摩阻力首先是在桩体上部发挥，随着荷载的增加，沿桩身进一步向下转移至全桩长发挥。桩身开裂前，摩阻力与上拔位移成正比；特别是对于长桩，桩身开裂后，桩侧摩阻力往往不能充分发挥。所以对于试验桩，如果是在较小荷载下，桩顶位移出现小的突变或桩顶出现裂纹，应继续加载。

**4.2.7** 本条规定了单桩竖向抗拔极限的确定方法。前两款对应于由土的极限抗拔阻力控制的抗拔极限承载力的确定方法,可通过绘制 $U-\delta$ 曲线或 $\delta-\lg t$ 曲线确定;当两种曲线难以判断时,可辅助 $\delta-\lg U$ 曲线或 $\lg U-\lg t$ 曲线确定。第 3 款对应于由钢筋抗拉强度控制的抗拔极限承载力的确定方法。

**4.2.8** 工程桩验收检测时,混凝土桩抗拔承载力可能受抗裂或钢筋强度制约,而土的抗拔阻力尚未充分发挥,只能取最大试验荷载或上拔量控制值所对应的荷载作为极限荷载,不能轻易外推。当然,在上拔量或抗裂要求不明确时,试验控制的最大加载值就是钢筋强度的设计值。

## 4.3 水平静载试验

**4.3.1** 桩的水平承载力静载试验除了桩顶自由的单桩试验外,还有带承台桩的水平静载试验、桩顶不能自由转动的不同约束条件及桩顶施加垂直荷载等试验方法,也有循环荷载的加载方法。这一切都可根据设计的特殊要求给予满足,并参考本方法进行。

桩的抗弯能力取决于桩和土的力学性能、桩的自由长度、抗弯刚度、桩宽、桩顶约束等因素。试验条件应尽可能和实际工作条件接近,将各种影响降低到最小的程度,使试验成果能尽量反映工程桩的实际情况。通常情况下,试验条件很难做到和工程桩的情况完全一致,此时应通过试验桩测得桩周土的地基反力特性,即地基土的水平抗力系数。它反映了桩在不同深度处桩侧土抗力和水平位移之间的关系,可视为土的固有特性。根据实际工程桩的情况(如不同桩顶约束、不同自由长度),用它确定土抗力大小,进而计算单桩的水平承载力和弯矩。因此,通过试验求得的地基土水平抗力系数具有更实际、更普遍的意义。

**4.3.3** 利用已完成竖向静载荷试验和高应变复打检测的桩进行水平静载荷试验时,其间歇时间在《电力工程地基处理技术规程》DL/T 5024—2005 中规定不小于 10d,考虑到竖向抗压静载试验和高应变复打检测对桩侧土的剪切破坏范围有限,根据以往试桩经验，其对水平静载测试结果的影响有限，故此次调整为间歇时间不宜少于 7d。

**4.3.4　3**　基准桩与试桩保持一定距离是为了避免试桩位移引起基准桩发生位移，当试桩产生水平位移时，其对位移反方向土体的拉伸影响范围很小，有研究资料表明一般为 2 倍桩径；ASTM D3966 标准要求基准桩与试桩的净距不小于 2m。考虑到电力工程的设计要求，本标准规定试验桩与试桩净距不小于 2 倍桩径。

**4.3.7**　对抗弯性能较差的长桩或中长桩而言，承受水平荷载桩的破坏特征是弯曲破坏，即桩身发生折断，此时试验自然终止。在工程桩水平承载力验收检测中，终止加荷条件可按设计要求或标准规范规定的水平位移允许值控制。考虑软土的侧向约束能力较差以及大直径桩的抗弯刚度大等特点，终止加载的变形限可取上限值。

**4.3.10**　对于混凝土长桩或中长桩，随着水平荷载的增加，桩侧土体的塑性区自上而下逐渐开展扩大，最大弯矩断面下移，最后形成桩身结构的破坏。所测水平临界荷载为桩身产生开裂前所对应的水平荷载。因为只有混凝土桩才会产生开裂，故只有混凝土桩才有临界荷载。

# 5 单桩动力检测

## 5.1 高应变法

**5.1.1** 高应变法的主要功能是判定单桩轴向抗压承载力是否满足设计要求。检测单桩竖向抗压承载力，经常应用两种方法，即凯司法和实测曲线拟合分析法。当采用实测曲线拟合法分析时，可得出桩侧土阻力分布和桩的端承力，但绝不能简单地把程序自动拟合得出的单元侧阻力不加修正地提供进去，而应结合实测波形具体情况将拟合参数作适当调整；曲线拟合的主要依据是实测波形，而影响实测波形的因素除桩周土阻力分布外，还有桩身截面变化、桩身材质不均匀、桩身裂隙以及偏心锤击、传感器灵敏度、传感器安装的质量等，因此在拟合分析时应结合具体情况，采用人工干预的方法进行拟合。在此，尚应注意的是采用高应变法检测单桩竖向抗压极限承载力时，必须有足够大的冲击力，使桩周土进入塑性状态，这样才能达到充分发挥桩侧土阻力和桩端阻力的目的，在进行锤击的同时实测桩顶的贯入度应达到 2mm～6mm 的要求。

检测桩身结构完整性，与低应变检测相比，高应变检测由于其冲击能量大，可以检测出长桩深部的缺陷，也可以测出一根桩两个以上不同断面处的明显缺陷，但对于桩顶附近的缺陷（如距桩顶 3m 以内）则难以判别，因为高应变锤击波形从起始到峰值的上升时间一般在 2ms 以上，在该范围内缺陷对波形的影响不很明显；另外高应变动测也难以判别桩身的微小裂缝。

高应变检测技术是从打入式预制桩发展起来的，试打桩和打桩监控属于其特有的功能，是静载试验无法做到的，检测锤击沉桩时的打桩应力和监测桩锤效率，可以使施工单位在选锤、选择垫层以及确定沉桩工艺等方面有科学的依据。

**5.1.2** 灌注桩检测采集的波形质量普遍低于预制桩,波形分析中的不确定性和复杂性又明显高于预制桩,与静载试验结果对比,灌注桩高应变检测判定的承载力误差也如此。因此,积累灌注桩现场测试、分析经验和相近条件下的可靠对比验证资料,对确保检测质量尤其重要。

**5.1.4** 高应变检测判定的承载力是指在桩身强度满足桩身结构承载力的前提下,得到的桩周岩土对桩的抗力(静阻力)。当桩受外力作用时,存在严重缺陷的桩或断桩的桩身结构会先于桩周岩土破坏,即使其瞬时承载力可以满足设计要求,但其耐久性方面必然存在隐患,因此,提供存在严重缺陷的桩或断桩的承载力毫无意义。

**5.1.5** 锤击装置垂直、锤击平稳对中、桩头加固和加设桩垫,是为了减小锤击偏心和避免击碎桩头;在距桩顶规定的距离下的合适部位对称安装传感器,是为了减小锤击在桩顶产生的应力集中和对偏心进行补偿。所有这些措施都是为保证测试信号质量提出的。值得注意的是,当进行打入桩跟踪检测时,某些受检桩由于土阻力太大造成锤击数很高、贯入度很小,容易导致沉桩过程中桩头破碎,因此,在此类情况下,为避免传感器损伤,如果条件允许,传感器安装位置与桩顶的距离应尽量不小于1m。

**5.1.6** 对于普通钢桩,桩身波速可直接设定为5120m/s。对于混凝土桩,桩身波速取决于混凝土的骨料品种、粒径级配、成桩工艺(导管灌注、振捣、离心)及龄期,混凝土预制桩可在沉桩前实测无缺陷桩的桩身平均波速作为设定值,无实测值时,可取值3500m/s～4500m/s,混凝土灌注桩应结合本地区混凝土波速的经验值或同场地已知值初步设定,其值变化范围大多为3200m/s～4200m/s,但在计算分析前,应根据实测信号进行校正。

**5.1.7** 本条说明如下:

**1** 传感器外壳与仪器外壳共地,测试现场潮湿,传感器对地未绝缘,交流供电时常出现50Hz干扰,解决办法是良好接地或改用直流供电。

2　根据波动理论分析：若视锤为一刚体，则桩顶的最大锤击应力只与锤冲击桩顶时的初速度有关，落距越高，锤击应力和偏心越大，越容易击碎桩头。本款规定试验中应重锤低击，一方面可避免桩顶打坏，另一方面提高了试验的安全性。

3　打桩过程监测是指预制桩施打开始后进行的打桩全部过程测试，也可根据重点关注的预穿越土层或预达到的持力层段测试。

4　预制桩承载力的时间效应参数（恢复系数）应通过初打、复打共同确定，其值等于基桩极限承载力（复打测定）与基桩初打承载力（初打测定）的比值。

**5.1.9**　承载力时间效应因地而异，以沿海软土地区最显著。成桩后，若桩周岩土无隆起、侧挤、沉陷、软化等影响，承载力随时间增长。工期紧、休止时间不够时，除非承载力检测值已满足设计要求，否则应休止到满足本标准表 3.3.5 规定的时间为止。

**5.1.11**　锤击偏心是指某一侧力信号与两侧力平均值之差的绝对值超过平均值的 1/3。通常锤击偏心很难避免，因此严禁用单侧力信号代替平均力信号。

**5.1.12**　桩身平均波速也可根据下行波起升沿的起点和上行波下降沿的起点之间的时差与已知桩长值确定（图 2）。对桩底反射峰变宽或有水平裂缝的桩，不应根据峰与峰间的时差来确定平均波速。桩较短且锤击力波上升缓慢时，可采用低应变法确定平均波速。

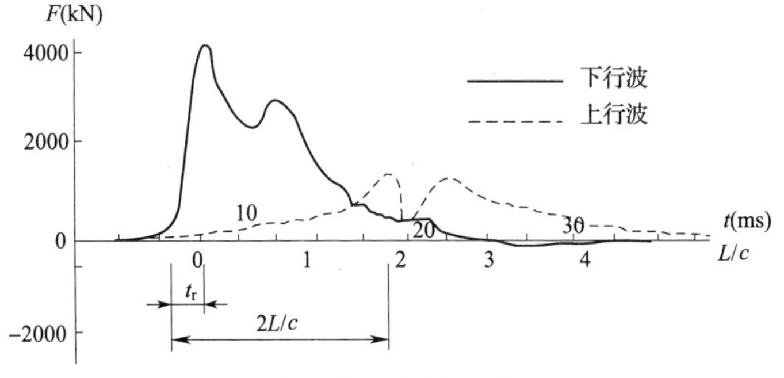


图 2　桩身波速的确定

**5.1.14** 高应变法动测承载力检测值多数情况下不会与静载试验桩的明显破坏特征或产生较大的桩顶沉降相对应，总趋势是沉降量偏小。为了与静载试验的极限承载力相区别，称为“本方法得到的单桩承载力检测值”。这里需要强调指出：本标准没有制订对单桩竖向抗压承载力进行统计平均的规定，是为了规避高估承载力的风险。单桩静载试验常因加荷量或设备能力限制，而做不出真正的试桩极限承载力，于是一组试桩往往因某一根桩的极限承载力达不到设计要求特征值的2倍，结论自然是不满足设计要求。动测承载力则不同，可能出现部分桩的承载力远高于承载力特征值的2倍，即使个别桩的承载力不满足设计要求，但“高”和“低”取平均后仍可能满足设计要求。

**5.1.15** 高应变法检测桩身完整性具有锤击能量大，可对缺陷程度定量计算，连续锤击可观察缺陷的扩大和逐步闭合情况等优点。桩身完整性系数$\beta$值的定义为被测截面阻抗与上部完整截面的阻抗比，阻抗大小只反映了桩截面面积与桩身材料弹性模量乘积的变化，不反映缺陷的性质，在具体判断时应结合桩身结构、接头形式及位置、土层情况等全面考虑。在桩身情况复杂或存在多处阻抗变化时，可优先考虑用实测曲线拟合法判定桩身完整性。

式(2)适用于截面基本均匀桩的桩顶下第一个缺陷的程度定量计算。当有轻微缺陷，并确认为水平裂缝（如预制桩的接头缝隙）时，裂缝宽度$\delta_{w}$可按下式计算：

$$\delta_{w} = \frac{1}{2}\int_{t_a}^{t_b}\left(V - \frac{F - R_{x}}{Z}\right)\mathrm{d}t \tag{2}$$

等截面桩且缺陷深度$x$以上部位的土阻力$R_{x}$未出现卸载回弹时，桩身完整性系数$\beta$值计算公式为解析解，即$\beta$值测试属于直接法，结果的可信度高，但当土阻力$R_{x}$先于$t_{1}+2x/c$时刻发挥并产生桩中上部明显反弹时，$x$以上桩段侧阻提前卸载造成$R_{x}$被低估，$\beta$计算值被放大，不安全，因此式(2)不适用，此种情况多在长桩存在深部缺陷时出现。

## 5.2 低应变法

**5.2.1** 低应变法包括反射波法和机械阻抗法，其中常用的主要为反射波法，机械阻抗法根据冲击方式不同分为瞬态机械阻抗法和稳态机械阻抗法。实际上当桩的边界和初始条件相同时，上述方法分析结果是一致的。本标准低应变法包括了以上方法。

低应变法的理论基础以一维线弹性杆件模型为依据，要求受检桩的长细比、瞬态激励脉冲有效高频分量的波长与桩的横向尺寸之比均宜大于5，设计桩身截面宜基本规则，因此不适用于薄壁钢管桩和变截面的异型桩。对于桩身截面多变且变化幅度较大的灌注桩，应综合地质、施工情况综合分析，并采取其他方法验证，这主要是考虑到当截面多变且变化幅度很大时往往多个阻抗变化截面的一次或多次反射相互叠加后波形难以识别，同时幅度变化较大引起的衰减也严重。

低应变法进行桩身缺陷程度时只能进行定性判定，由于种种误差，利用实测曲线拟合法无法达到精确定量的程度。同时桩身不同类型的缺陷在低应变测试信号中主要反映为桩身阻抗减小的信息，实际难以区分缺陷性质，一般应综合分析或验证。同时必须认识到本方法难以检测桩体竖向缺陷，如管桩的竖向裂纹。

**5.2.2** 低应变动测由于受激振能量、桩身材料阻尼、桩周土性状和桩身截面阻抗变化等因素影响，若桩过长（或长径比较大）或桩身截面阻抗多变或变幅较大，应力波从桩顶传至桩底再从桩底返回桩顶前，其能量已完全衰竭，致使仪器测不到桩底反射信号，从而无法对整根桩的完整性作出评价。若排除其他条件差异而只考虑地质条件差异时，桩的有效检测长度受桩土刚度比大小制约，但变化很大，具体工程的有效检测桩长应通过现场试验，依据能否识别桩底反射信号确定该方法是否适用。因此对于超长桩宜谨慎使用，当最大有效检测深度小于实际桩长时，只可用于查明有效检测长度范围是否存在缺陷。

**5.2.3** 瞬态激振操作时应根据桩型，通过现场试验选择不同材质的激振头和不同质量的激振设备进行轴向激振，如采用锤头刚度小、质量大的力棒获得低频脉冲波，采用锤头刚度大、质量小的手锤获取高频脉冲波。必要时建议在测量桩顶速度响应的同时量测锤击力，根据力与速度信号起始峰的比例失调关系对桩身浅部阻抗变化进行判别。

**5.2.4** 灌注桩检测时桩身强度过低会导致波速偏低，同时桩身缺陷和桩底反射不明显。

桩顶条件和桩头处理的好坏直接影响到测试信号的质量，因此对于灌注桩桩顶，应凿除浮浆或疏松部分，传感器安装点和激振点应磨平成光滑平面，并保持干净无积水，并与桩轴线垂直，对于预应力管桩，如法兰盘与桩身混凝土脱开，应截除桩头，磨平后方可进行检测。当桩头与承台或垫层相连时，相当于桩头处存在很大的截面阻抗变化，对测试信号会产生影响，因此，测试时桩头应与混凝土承台断开。当桩头侧面与垫层相连时，应进行实测，确认垫层对测试信号没有影响，否则应该断开。

预制桩在密集打桩过程中由于积土效应可能导致临近桩产生接桩处脱开等问题，故本条要求预制桩应在相邻桩打完以后再进行低应变检测。

**5.2.7** 每个检测点有效信号数不宜小于3个，通过叠加平均可以有效提高信噪比。当桩径较大或上部桩截面变化不规则时，应根据实测信号特征，适当改变激振点和检测点，以全面反映桩身完整性情况。

**5.2.9** 为分析不同时段或频段信号所反映的桩身阻抗信息、核验桩底信号并确定桩身缺陷位置，需要确定桩身波速及其平均值$c_m$。研究表明，桩身波速与混凝土的强度、骨料品种、粒径级配、密度、水灰比、成桩工艺相关，一般来说混凝土强度高，波速则高，虽然不呈一一对应关系，但整体趋势上混凝土强度与波速呈现正相关关系。当桩身波速难以确定时，可根据混凝土强度与桩身波速经验值或者当地经验确定。一般灌注桩桩身波速为3200m/s～

4200m/s,PC管桩和PHC管桩桩身波速为3500m/s～4500m/s。有条件时可通过在桩侧沿桩长方向间隔一段距离安装两个传感器,通过测量两个传感器响应时差和传感器间的距离,计算该桩段的波速值,以此作为整个桩的波速值。

目前反射波的测试水平可准确地判断桩顶下第一个缺陷位置,在条件容许下可以判断第二个缺陷,但是由于应力波在第一、第二缺陷产生多次反射和透射,形成复杂波形,因此对于第二个缺陷以下的缺陷难以判别。

**5.2.10** 桩的完整性和类别可根据时域频域图特点进行评定,首先判别有无缺陷反射波,如有则分析缺陷程度。从信号曲线特征判别时应结合施工和地质资料,注意区分施工质量缺陷产生的缺陷反射波和因为设计构造、成桩工艺、土层影响造成的反射波,如预制桩的接缝、桩身截面渐变后恢复至原桩径并在该阻抗突变处的一次反射或扩径突变处的二次反射、地层硬夹层的影响。

另外,根据测试信号幅值大小判定缺陷程度,除受缺陷程度影响外,还受桩周土阻力(阻尼)大小及缺陷所处深度的影响。相同程度的缺陷因桩周土岩性不同或缺陷埋深不同,在测试信号中其幅值大小各异。因此,如何正确判定缺陷程度,特别是缺陷十分明显时,如何区分是Ⅲ类桩还是Ⅳ类桩,应仔细对照桩型、地质条件、施工情况结合当地经验综合分析判断,不宜单凭测试信号定论。

桩身缺陷的程度及位置也可采用时域信号曲线拟合法以及导纳值与动刚度的相对高低进行判别。

图3为完整桩的导纳曲线。计算导纳值 $N_c$、实测导纳值 $N_m$ 和动刚度 $K_d$ 分别按下列公式计算如下:

导纳理论计算值:
$$N_c=\frac{1}{\rho c_m A} \tag{3}$$

实测导纳几何平均值:
$$N_m=\sqrt{P_{max}Q_{min}} \tag{4}$$

动刚度:
$$K_d=\frac{2\pi f_m}{\left|\frac{V}{F}\right|_m} \tag{5}$$

式中：$\rho$——桩材质量密度($kg/m^3$)；

$c_m$——桩身波速平均值(m/s)；

$A$——设计桩身截面积($m^2$)；

$P_{max}$——导纳幅频曲线上谐振波峰值的平均值($m/s \cdot N^{-1}$)；

$Q_{min}$——导纳幅频曲线上谐振波谷值的平均值($m/s \cdot N^{-1}$)；

$f_m$——速度导纳幅频曲线上起始近似直线段上任一频率值(Hz)；

$\left|\frac{V}{F}\right|_m$——与 $f_m$ 对应的导纳幅值($m/s \cdot N^{-1}$)。

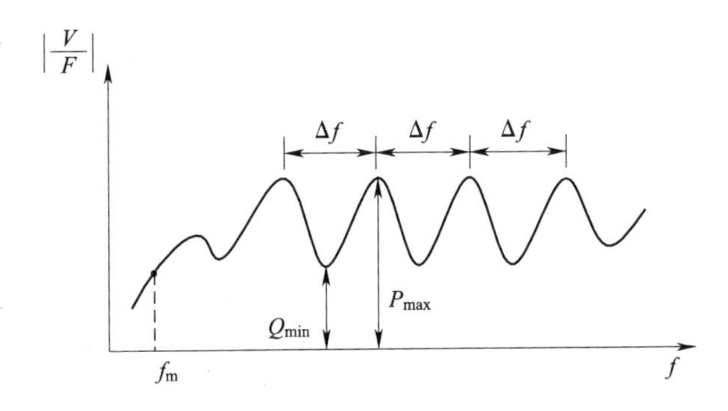


图 3　桩身均匀完整桩的导纳幅频曲线图

理论上，完整桩实测导纳值 $N_m$ 约等于计算导纳值 $N_c$，动刚度 $K_d$ 值正常；缺陷桩 $N_m$ 大于 $N_c$，$K_d$ 值低，且随缺陷程度的增加其差值增大；扩径桩 $N_m$ 小于 $N_c$，$K_d$ 值高。

实际工程中，在下列几种情况下常常测不到桩底信号：超长桩(长径比很大)、桩周土约束很大使得应力波很快衰减、桩身阻抗与持力层阻抗匹配良好、桩身截面阻抗显著突变或沿桩长渐变、预制桩接头存在缝隙等，此时的桩身完整性判定只能结合经验参照本场地和本地区的同类型桩综合分析或采用其他方法进一步检测。

**5.2.11**　当桩身存在不止一个阻抗变化截面(包括上述桩身某一范围阻抗渐变的情况)时，在信号没有受尺寸效应、测试系统频响等影响产生畸变的前提下，采用实测曲线拟合法进行辅助分析时，宜采用实测力波形作为边界条件输入，桩顶横截面尺寸应按现场实际测量结果确定，通过同条件下、截面基本均匀的相邻桩曲线拟合，确定引起应力波衰减的桩土参数取值。

## 5.3 声波透射法

**5.3.1** 声波透射法是利用声波透射理论，通过桩身预埋声测管，采用水作为耦合剂，通过接受波的声时、波幅、主频及波形特征对桩身混凝土介质状态进行检查。当桩径小于 0.6m 时，声测管的声耦合会造成较大的测试误差，因此该方法适用于桩径不小于 0.6m 的基桩，桩径大于 2m 的基桩应采用声波透射法检测，对于桩长大于 40m 或复杂地质条件下的基桩，建议采用声波透射法。

声波透射法分为桩内跨孔透射法、桩内单孔透射法、桩外跨孔透射法，由于后两者方法实用性、可靠性较低，因此规定仅用于已预埋声测管的混凝土灌注桩桩身完整性检测，即采用桩内跨孔透射法。基桩当钻芯法检测后需进一步了解钻芯孔之间混凝土质量时，也可采用该方法。

**5.3.3** 原则上，桩身混凝土满 28d 龄期后进行声波透射法检测是合理的。但是，由于声波透射法是一种非破损检测方法，不会破坏桩身混凝土，且声波透射法检测桩身完整性时没有涉及混凝土强度问题，为了加快工程建设进度、缩短工期，当采用声波透射法检测桩身缺陷和判定其完整性类别时，可适当将检测时间提前，以便能在施工过程中尽早发现问题，及时补救，赢得宝贵时间。

仪器系统延迟时间率定建议根据实际情况定期进行，具体方法如下：将发射和接收换能器平行悬于清水中，逐次改变点源距离并测量相应声时，记录若干点的声时数据作线性回归的时距曲线：

$$t = t_0 + bl \tag{6}$$

式中：$t$——声时（$\mu s$）；

$t_0$——仪器系统延迟时间（$\mu s$）；

$b$——直线斜率(μs/mm);

$l$——换能器表面净距离(mm)。

声测管及耦合水层声时修正值按下式计算:

$$t' = \frac{d_1 - d_2}{v_t} + \frac{d_2 - d'}{v_w} \tag{7}$$

式中:$t'$——声测管及耦合水层声时修正值(μs);

$d_1$——声测管外径(mm);

$d_2$——声测管内径(mm);

$d'$——换能器外径(mm);

$v_t$——声测管材料声速(km/s),当采用钢管时可取 5.90;

$v_w$——水的声速(km/s),可按表 1 取值。

**表 1 水的声速一览表**

| 水温(℃) | 5 | 10 | 15 | 20 | 25 | 30 |
|---|---|---|---|---|---|---|
| 水的声速(km/s) | 1.45 | 1.46 | 1.47 | 1.48 | 1.49 | 1.50 |

在实际工作中,有条件下建议利用与预埋声测管同样规格型号的管材实测延迟时间 $t_0 + t'$。在放入换能器之前,应检查声测管的畅通情况,以避免测试过程中换能器被卡在管内。

声测管中的混浊水会加大声波衰减,延长传播时间,因此应保证声测管中检测时始终以清水作为耦合剂。

**5.3.4** 本条是关于现场检测过程的规定。

**1** 同一根桩检测时,强调各检测剖面声波发射电压和仪器设置参数不变,目的是使各检测剖面的声学参数具有可比性,便于综合判定。

**2** 径向换能器在径向无指向性,但在垂直面上有指向性,且换能器的接收响应随着发、收换能器中心连线与水平面夹角 $\theta$ 的增大而非线性递减。因此为了达到斜测的目的,同时测试系统又有足够的灵敏度,夹角 $\theta$ 不应大于 30°。

**3** 测点间距将影响桩身缺陷纵向尺寸的检测精度,间距越小，检测精度越高，但需花费更多的时间。一般混凝土灌注桩的缺陷在空间有一定的分布范围。规定测点间距不大于250mm，可满足工程检测精度的要求。当采用自动提升装置时，声测线间距还可进一步减小。

**6** 经平测或斜测普查后，找出各检测剖面的可疑测点，再经加密平测（减小测点间距）、交叉斜测等方式既可检验平测普查的结论是否正确，又可以依据加密测试结果判定桩身缺陷的边界，进而推断桩身缺陷的范围和空间分布特征。

**5.3.6** 声速、波幅和主频都是反映桩身质量的声学参数测量值，根据实践经验，声速变化的规律性较强，而波幅变化较灵敏但稳定性差，主频在保持测试条件一致的前提下也有一定规律性，为此本条确定了多种不同的方法进行判别。

**1** 声速临界值法判据是基于概率法，即无缺陷的混凝土声速测量值虽然有一定的离散性，但符合正态分布，由缺陷造成的低声速异常值不符合正态分布，具体判别方法如下：

（1）将同检测剖面各测点的声速值 $v_i$ 由大到小按顺序排列，即

$$v_1 \geqslant v_2 \geqslant \cdots \geqslant v_i \geqslant \cdots \geqslant v_{n-k} \geqslant \cdots \geqslant v_{n-1} \geqslant v_n (k=0,1,2,\cdots) \quad (8)$$

式中：$v_i$——按序排列后的第 $i$ 个声速的测量值；

$n$——检测剖面测点数；

$k$——从零开始逐一去掉本式 $v_i$ 序列尾部最小数值的数据个数。

（2）对从零开始逐一去掉 $v_i$ 序列中最小值后余下的数据进行统计计算，当去掉最小数值的数据个数为 $k$ 时，对余下数据 $v_1 \sim v_{n-k}$ 按下列公式进行统计计算：

$$v_0 = v_m - \lambda s_x \quad (9)$$

$$v_m = \frac{1}{n-k}\sum_{i=1}^{n-k} v_i \quad (10)$$

$$S_x = \sqrt{\frac{1}{n-k-1}\sum_{i=1}^{n-k} (v_i - v_m)^2} \quad (11)$$

式中：$v_0$——异常判断值；

$v_m$——$(n-k)$个数据的平均值；

$S_x$——$(n-k)$个数据的标准值；

$\lambda$——按表 2 查得与$(n-k)$相对应的系数。

**表 2 统计个数数量$(n-k)$与对应的 $\lambda$ 值**

| $n-k$ | 20 | 22 | 24 | 26 | 28 | 30 | 32 | 34 | 36 | 38 |
|---|---|---|---|---|---|---|---|---|---|---|
| $\lambda$ | 1.64 | 1.69 | 1.73 | 1.77 | 1.80 | 1.83 | 1.86 | 1.89 | 1.91 | 1.94 |
| $n-k$ | 40 | 42 | 44 | 46 | 48 | 50 | 52 | 54 | 56 | 58 |
| $\lambda$ | 1.96 | 1.98 | 2.00 | 2.02 | 2.04 | 2.05 | 2.07 | 2.09 | 2.10 | 2.11 |
| $n-k$ | 60 | 62 | 64 | 66 | 68 | 70 | 72 | 74 | 76 | 78 |
| $\lambda$ | 2.13 | 2.14 | 2.15 | 2.17 | 2.18 | 2.19 | 2.20 | 2.21 | 2.22 | 2.23 |
| $n-k$ | 80 | 82 | 84 | 86 | 88 | 90 | 92 | 94 | 96 | 98 |
| $\lambda$ | 2.24 | 2.25 | 2.26 | 2.27 | 2.28 | 2.29 | 2.29 | 2.30 | 2.31 | 2.32 |
| $n-k$ | 100 | 105 | 110 | 115 | 120 | 125 | 130 | 135 | 140 | 145 |
| $\lambda$ | 2.33 | 2.34 | 2.36 | 2.38 | 2.39 | 2.41 | 2.42 | 2.43 | 2.45 | 2.46 |
| $n-k$ | 150 | 160 | 170 | 180 | 190 | 200 | 220 | 240 | 260 | 280 |
| $\lambda$ | 2.47 | 2.50 | 2.52 | 2.54 | 2.56 | 2.58 | 2.61 | 2.64 | 2.67 | 2.69 |
| $n-k$ | 300 | 320 | 340 | 360 | 380 | 400 | 420 | 440 | 460 | 480 |
| $\lambda$ | 2.71 | 2.73 | 2.75 | 2.77 | 2.79 | 2.81 | 2.82 | 2.84 | 2.85 | 2.87 |

(3)将 $v_{n-k}$与异常判别值 $v_0$ 进行比较，当 $v_{n-k} \leqslant v_0$ 时，$v_{n-k}$ 及其以后的数据均为异常，去掉 $v_{n-k}$ 及其以后的异常数据，再用数据 $v_0 \sim v_{n-k-1}$ 重复上述计算步骤，直到 $v_i$ 序列中余下的全部数据满足：$v_i > v_0$，此时 $v_0$ 即为声速的异常判别临界值 $v_c$。

桩身混凝土均匀性可采用离差系数 $C_v = S_x / v_m$评价。

声速低限值异常判据主要针对临界值法可能漏判的情况，当桩身混凝土的质量普遍较差，实测声速普遍偏低，但离散度较小，采用概率法时会造成漏判，同时应注意到在工程中为了抢工期，采用提高混凝土设计强度方法进行灌注，有时桩身混凝土离散性较大，可能出现异常测点，但声速最低的测点也在混凝土声速的正常取值范围时，采用概率法会造成误判。声波低限值相对应的混凝土强度不宜低于 $0.9R$（$R$ 为混凝土设计强度），如试件为钻孔芯样，则不宜低于 $0.85R$。

**2** 波幅判据实质是取信号首波幅值衰减量为其平均值一半时的波幅分贝数为临界值，在实际应用时由于波幅的测试值受仪器设备、测距、耦合状态等非缺陷因素的影响，该判据可能过严，当声测管间距较大时波幅分散性大，应适当调整临界值。

**3** PSD 判据突出了声时的变化，对缺陷较为敏感，同时减小了声测管不平行或混凝土不均匀等非缺陷因素造成的测试误差对数据分析判断的影响。

**4** 主频判据一般应用不多，作为声速、波幅等主要判据之外的辅助判据。

**5.3.7** 当某一检测剖面个别测点的声幅参数出现异常，但与临界值相差不大且无声速低于临界值异常时，也可判定为Ⅰ类桩。

当某一检测剖面个别测点声速低于临界值异常，但与临界值相差不大且无其他声学参数异常时，也可判定为Ⅱ类桩。

桩身完整性判定与分类除依据声速、波幅等变化规律和借助其他辅助方法外，还与诸多复杂因素有关，故在使用中应注意以下几点：

(1)可结合钻芯法将其结果进行对比，从而得到更符合实际情况的分类。

(2)可将实测时程曲线的畸变及频谱、PSD 值的变化相结合，进行综合判定与分类。

(3)可结合施工工艺和施工记录等有关资料具体分析。

# 6 其他检测方法

## 6.1 钻 芯 法

**6.1.1** 从电力工程实践来看，采用钻芯法是检测钻(冲)孔、人工挖孔、旋挖孔等现浇混凝土灌注桩的成桩质量的一种有效手段，受场地条件的限制很小，特别适用于大直径混凝土灌注桩的成桩质量检测。钻芯法检测的主要目的有五个：

(1)检测桩身混凝土质量情况，如桩身混凝土胶结状况、有无气孔、松散、蜂窝、离析或断桩等，桩身混凝土强度是否符合设计要求。

(2)判定桩身完整性类别。

(3)桩底沉渣是否符合设计或规范的要求。

(4)桩底持力层的岩土性状(强度)和厚度是否符合设计或规范要求。

(5)施工记录桩长是否真实，桩长是否符合设计要求。

受检桩长径比较大时，成孔的垂直度和钻芯孔的垂直度很难控制，钻芯孔容易偏离桩身，故要求受检桩桩径不宜小于800mm，长径比不宜大于30。

**6.1.2** 为保证桩身混凝土芯样的完整性，要求钻芯检测应采用单动双管钻具。金刚石钻头、扩孔器和长簧的配合和使用要求：金刚石钻头与岩芯管之间应安有扩孔器，用以修正孔壁；扩孔器外径宜比钻头外径大0.3mm～0.5mm，卡簧内径宜比钻头内径小0.3mm左右。

**6.1.3** 当钻芯孔为一个时，规定宜在距桩中心10cm～15cm的位置开孔，是考虑振捣过程对导管附近的混凝土质量有影响，同时也方便第二个孔(需要时)的位置布置。

为准确确定桩的中心点，桩头宜开挖裸露；来不及开挖或不便开挖的桩，应由经纬仪确定桩位中心。

若岩土勘察资料表明桩底持力层稳定、满足设计要求，制订检测方案时，每根受检桩可选择一个钻芯孔来探明桩端持力层性状；否则，每个钻芯孔均应钻进足够深度，以便查明探明桩底持力层性状。当受检桩有两个以上钻芯孔，且某一钻芯孔揭示桩底持力层存在夹层等问题而不满足设计要求时，其他钻芯孔也应钻进足够深度，以便查明桩底持力层性状。

**6.1.4** 选择钻芯法对桩长、桩身混凝土强度、桩身局部缺陷、桩底沉渣、桩端持力层进行验证检测时，应根据具体验证的目的进行检测，不需要按本标准第 6.1.19 条进行全面评价。如验证桩身混凝土强度，可在桩顶浅部对多桩（或单桩多孔）钻取混凝土芯样，按现行国家标准《混凝土结构现场检测技术标准》GB/T 50784 评定桩基混凝土强度；如验证桩身局部缺陷，钻进深度可控制为缺陷以下 1m～2m 处，对芯样混凝土质量进行评价，必要时应进行芯样试件强度试验。

**6.1.6** 芯样取出后，钻机操作人员应由上而下按回次顺序放进芯样箱中，芯样侧面上应清晰标明回次数、块号、本回次总块数（宜写成带分数的形式，如 $2\frac{3}{5}$ 表示第 2 回次共有 5 块芯样，本块芯样为第 3 块），及时记录孔号、回次数、起至深度、块数、总块数、芯样质量的初步描述及钻进异常情况。

有条件时，可采用孔内摄像辅助判断混凝土质量。

**6.1.10** 为便于设计人员对端承力的验算，提供分层岩性的各层强度值是必要的。为保证岩石天然状态，拟截取的岩石芯样应及时密封包装。

**6.1.15** 岩石芯样试件单轴抗压强度计算，以《水利水电工程岩石试验规程》SL 264 式（6.1.15）中的 $8/(7+2d/H)$ 为将非标准试件的抗压强度值换算成高径比为 2∶1 的标准试件的抗压强度值的换算系数。

**6.1.17** 钻芯法主要是评价持力层的岩土性状，必要时可对持力层的岩石强度作出评价。当评价持力层的岩石强度时，应分别对单桩受检桩进行评价。

**6.1.18** 桩底持力层岩土性状的描述、判定应符合现行国家标准《岩土工程勘察规范》GB 50021 的有关规定。

**6.1.19** 通过芯样特征对桩身完整性分类，有比低应变法、高应变法、声波透射法更直观的一面，也有“一孔之见”代表性差的一面。本标准强调完整性判断应根据混凝土芯样表观特征和芯样强度以及缺陷分布情况进行综合判定，关注缺陷部位能否取样制作成芯样试件以及缺陷部位的芯样试件强度的高低。同一根受检桩，不同钻芯孔、不同深度、各种缺陷形态及大小存在多种组合，表 6.1.19 可能未包括所有情况，在这种情况下，可根据表 3.1.7 和表 6.1.19 的基本原则对桩身完整性进行分类。

## 6.2 桩身加载法静载试验

**6.2.1** 常规的单桩静载试验多采用堆载法、锚桩法或联合法进行试验，但对于大吨位或特殊地段的基桩，因受条件限制无法采用以上方法开展试验工作。

国内目前对于大吨位或特殊地段的基桩通常采用东南大学龚维明教授提出的“基桩自平衡法”进行静载试验，“基桩自平衡法”中的专利技术为“桩承载力测定用荷载箱”（专利号为 ZL00219842.8），可以参考的标准有：江苏省工程建设标准《基桩自平衡法静载试验技术规程》DGJ 32/TJ、交通行业标准《基桩静载试验 自平衡法》JT/T 738。

在国外及香港等地区对于大吨位或特殊地段的基桩，通常采用美国西北大学荣誉教授 Jorj O. Osterberg 提出的“Osterberg 试桩法”（或称为“O-cell 试桩法”）。

考虑到上述两种方法的试验原理是一致的，但采用了不同的专利技术，为了充分尊重与保护知识产权所有人的权利，故在电力工程中将两种方法均推荐采用，具体采用何种方法，应结合工程的实际情况有针对性地选择，并注意知识产权的保护问题。

本标准的正文部分是基于“基桩自平衡法”静载试验的要求编写，当采用“Osterberg 试桩法”时，应执行当地的“Osterberg 试桩法”试验规定，若没有当地的“Osterberg 试桩法”试验规定，也可参照本标准的规定开展试验工作。

**6.2.2** 国内桩身加载法静载试验目前已应用于多种桩型，尤其在大直径、大吨位的灌注桩中应用最为广泛，在特殊地段的管桩和深基础中也多有采用。

**6.2.3** 由于桩身加载法静载试验是依靠荷载箱上、下两部分的桩侧与桩端阻力进行双向加载，因此，最大加载量应计算其双向加载值。为达到优化设计的目的，最大双向加载值应大于预估的单桩极限承载力。

**6.2.4** 由于工程桩抽样检测仅对工程桩承载力进行校核，因此，最大双向加载值既要考虑工程桩不受破坏，又要考虑工程设计的要求，并且在试验结束后应在荷载箱处进行加固处理。

**6.2.5** 桩身加载法静载试验为双向加载，桩身产生的应力是传统试验的一半，因此，要求混凝土强度达到设计强度的70%以上，一般不会引起桩身损伤或破坏。

**6.2.6** 加载用的荷载箱是试验的关键设备，需要按照基桩的类型、截面尺寸和荷载等级专门设计生产，且使用前必须进行率定，工厂率定与现场试验应采用同一型号的压力表，根据荷载箱的率定曲线换算荷载值。压力表必须经法定计量部门的标定，且在规定的有效期内。

位移传感器一般采用电子百分表或电子千分表，分辨率优于或等于0.01mm。每组试桩布置2组分别用于测定荷载箱处的向上位移和向下位移。位移传感器必须经法定计量部门的标定，且在规定的有效期内。

钢筋计宜设置在地层的交界处，对于厚度较大的地层，可加设钢筋计，且距桩底、桩顶和荷载箱的距离不宜小于1倍桩径；采用应变式钢筋计时，必须采取可靠的防潮、绝缘保护措施。

数据采集系统宜采用成套设备，一般包括数据采集仪、不间断电源、计算机和配套的数据采集处理软件等。

**6.2.7** 荷载箱埋设位置的确定直接关系到试验能否达到预期效果，因此，需要根据岩土设计参数估算荷载箱上、下两部分的桩侧与桩端阻力，尽量使荷载箱上、下桩身阻力达到平衡，必要时可采取一些辅助措施。当有特殊要求时，可采用双荷载箱或多荷载箱，以分别测定试桩的极限侧阻力和端阻力。

**6.2.8** 对于灌注桩，荷载箱应平放于钢筋笼的中心，其位移方向与桩身轴线夹角不应大于5°；荷载箱的上、下板分别与上、下钢筋笼的钢筋焊接，并设置喇叭筋，喇叭筋的一端与主筋焊接，另一端焊接在环形荷载箱板内圆边缘处，其数量和直径与主筋相同，喇叭筋与荷载箱的夹角应大于60°。对于管桩，荷载箱与上、下段管桩对称焊接。

位移杆应具有一定的刚度，桩长不大于40m时，可采用直径25mm～30mm的钢管；桩长大于40m时，则宜采用钢丝与配重相组合的方法。

保护位移杆的护套管与荷载箱顶盖焊接，焊缝应满足强度要求，并确保不渗漏水泥浆。在保证位移传递达到足够精度的前提下，也可采用其他形式的位移传递系统。

基准桩和基准梁都必须具有一定的刚度，基准梁的一端应固定在基准桩上，另一端应简支在基准桩上；在试验过程中，应减少环境温度等方面对试验的不利影响。

**6.2.9～6.2.11** 试验的位移观测一般采用慢速维持荷载法，试验加（卸）载、位移观测与稳定标准要求与常规的静载试验基本相同。

**6.2.12、6.2.13** 当桩身存在缺陷时，荷载-位移曲线会出现异常情况，在试验过程中应客观分析与判断桩身缺陷的可能情况，并采取可靠的措施完成现场试验，根据试验结果进行合理的分析与取值。

对于(超)长桩和大直径(扩底)桩，其 $Q-s$ 曲线一般呈缓变型，为了充分发挥桩身阻力，可加载至位移 60mm～80mm。

**6.2.14～6.2.16** 试验成果一般采用曲线与数据相结合的方式，可由数据采集处理软件直接输出，修正系数的选择应结合工程情况与当地经验合理确定。

由于测得的上段桩侧阻力方向是向下的，与常规试验方法得到的侧阻力方向相反，因此，应扣除荷载箱上部桩身自重。

## 6.3 桩身内力测试

**6.3.1** 对竖向抗压静载试验桩，可得到桩侧各土层的分层抗压摩阻力和桩端阻力；对竖向抗拔静载试验桩，可得到桩侧土的分层抗拔摩阻力；对水平静载试验桩，可求得桩身弯矩分布、最大弯矩位置等；对需进行负摩阻力测试的试验桩，可得到桩侧各土层的负摩阻力及中性点位置；对打入式预制混凝土桩和钢桩，可得到打桩过程中桩身各部位的锤击压应力、锤击拉应力。

**6.3.2** 根据检测目的、试验桩型、施工工艺及要求，可按表 3 中的传感器技术、环境特性选择适合的测试技术。检测前应对传感器进行自校，当需要检测桩身某断面或桩端位移时，可在需检测断面设置位移杆，也可通过滑动测微计直接测量。

**表 3 传感器技术、环境特性一览表**

| 特性＼类型 | 钢弦式传感器 | 应变式传感器 | 滑动测微计 |
|---|---|---|---|
| 传感器体积 | 大 | 较小 | 大 |
| 蠕变 | 较大，适宜于长期观测 | 较大，需提高制作技术、工艺解决 | 无蠕变问题 |
| 测量灵敏度 | 较低 | 较高 | 较高 |

**续表 3**

| 特性＼类型 | 钢弦式传感器 | 应变式传感器 | 滑动测微计 |
|---|---|---|---|
| 温度变化的影响 | 温度变化范围较大时需要修正 | 可以实现温度变化的自补偿 | 温度变化范围较大时应修正 |
| 长导线影响 | 不影响测试结果 | 除非采用六线制，否则需进行长导线电阻影响的修正 | 不存在导线影响问题 |
| 自身补偿能力 | 补偿能力弱 | 对自身的弯曲、扭曲可以自补偿 | 可通过标定解决零漂和温度影响 |
| 对绝缘的要求 | 要求不高 | 要求高 | 无要求 |
| 动态响应 | — | 好 | — |
| 埋设工作量 | 大 | 大 | 大 |

**6.3.6** 滑动测微计探头直接测试的是相邻测标间的应变，应确保测标能与桩体位移协调一致才能测试得到桩体的应变；同时桩身内力测试对应变测试的精度要求极高，必须保持测标在埋设直至测试结束过程中的清洁，防止杂质污染。对灌注桩，若钢筋笼过长、主筋过细，会导致钢筋笼及绑扎在其上的测管严重扭曲从而影响测试，宜采取措施防范。

对灌注桩，滑动测微计测管埋设时应将测管和测环对称绑扎在钢筋笼主筋上，箍筋应全部在主筋外侧，测管中心连线应通过桩断面中心。钢筋笼起吊和下放过程中应保持平直，并应向管内注水，保证水面略高于混凝土面，以平衡浇筑混凝土时的水压力。

**6.3.7** 测试前应在管内注满清水。加载前，宜沿桩身下、上测读初值各一次。应变测试与静载测试同步进行，沉降稳定后，测量应变。仪器读数重复性不宜大于 0.003mm/m。

## 6.4 桩基动力特性测试

**6.4.1** 天然地基和人工地基的测试方法，使用的设备和仪器，现场准备工作，数据处理等都完全相同，仅是块体基础和桩基础尺寸不同。

**6.4.2** 地基动力参数是计算动力机器基础振动的关键数据，数据选用是否符合实际，直接影响到基础设计的效果，而测试方法不同，则由测试资料计算的地基动力参数也不完全一致，因此，测试方法的选择应与设计基础的振动类型相符合，如设计周期性振动的基础，应在现场采用强迫振动测试。

**6.4.4** 桩基础竖向振动固有频率高，要求激振设备的最高工作频率尽可能的高，最好能到达 60Hz 以上，以便能测出桩基础的共振峰。电磁式激振设备的工作频率范围很宽，只是扰力太小时对桩基础的竖向振动激不起来，因此规定扰力不宜小于 600N。

**6.4.8** 桩基的刚度不仅和桩的长度、截面大小及地基土的种类有关，还和桩的间距、数量等有关。一般机器基础下的桩数，根据面积的大小，从几根到几十根，最多也有到一百多根的，如现场有条件做桩数对比测试时，可增加至 4 根桩或 6 根桩的测试。由于桩基的固有频率比较高，共振峰很难测出来。桩台边至桩轴的距离应等于桩间距的 1/2，桩台的长宽比应为 2∶1。规定的目的是为了使 2 根桩的测试资料计算的动力参数，在折算为单桩时可将桩台划分为 1 根桩的单元体进行分析。但对直径大于 400mm 的桩，桩台边至桩轴的距离与桩间距的比亦可小于 1/2。其目的是为了减小桩台的面积，这样可根据现场实际条件有所选择。

**6.4.9** 在现场准备工作时，一定要注意基础上预留螺栓或预留螺栓孔的位置。预埋螺栓的位置要严格按试验图纸上的要求，不能偏离，只要有一个螺栓偏离，激振器的底板就安装不进去。预埋螺栓的优点是与现浇基础一次做完，缺点是位置可能放不准，影响激振器的安装，因此在施工时，可采用定位模具以保证位置准确。预留螺栓的优点是,待激振器安装时,可对准底板螺孔放置螺栓,放好后再灌浆,缺点是与现浇基础不能一次做完。这两种方法选择哪一种,可根据现场条件确定。如为预留孔,则孔的面积不应小于100mm×100mm,孔太小了,灌浆不方便。螺栓的长度不小于400mm,主要是为了保证在受拉时有足够的锚固力,不被拉出,具体加工时,可将螺栓下端制成弯钩或焊一块铁板,以增强锚固力。露出激振器底板上面的螺栓,其螺丝扣的高度应足够能拧上两个螺母和一个弹簧垫圈。加弹簧垫圈的用两个螺母,目的是为了在整个激振测试过程中,螺栓不易被震松。在试验工作结束以前,螺栓的螺丝扣一定要保护好,以免碰松。

**6.4.10** 在振动测试过程中,地脚螺丝很容易被震松,一旦被震松后,所测的数据就不准。为避免地脚螺丝在测振过程中被震松,在测试前,应在地脚螺栓上放上弹簧垫圈,然后再利用两个螺母将其拧紧,每测完一次,都必须检查一下螺母是否被震松,如在测试过程中有松动,则应将机器停下,拧紧后重新测定,松动时测的资料作废。

**6.4.13** 基础的扭转振动测试,过去国内外都很少做过,设计时所应用的动力参数均与竖向测试的地基动力参数挂钩,而竖向与扭转转向的关系也是通过理论计算所得。条文中传感器的布置方法最容易判别其振动是否为扭转振动,如为扭转振动,则实测波形的相位相反,如为水平-回转耦合振动,则实测波形的相位相同,可检验激振器能否使基础产生扭转振动。因此在布置仪器时,一定要注意两台传感器本身相位是否相同。

## 6.5 灌注桩成孔质量检测

**6.5.1** 本方法主要用于检测灌注桩的成孔质量,特别是对于复杂地质条件下或桩身变截面的灌注桩施工,对灌注桩的施工进行指导,以确保工程安全。本方法可与低应变法联合采用进行桩身完整性判别。

根据测试方法与原理不同，孔径、孔深、垂直度的测量可分为超声波法和接触仪器组合法，被检测孔径应不小于0.5m，其中超声波法不得大于5.0m。

超声波法是采用超声波探头向孔壁方向发射声波后接收孔壁反射的声波得到声波从发射到接收所经过的时间，从而得到不同深度各方向的孔径，并进而计算孔径和垂直度。

接触式仪器组合法是采用接触式孔径成孔检测系统、高精度测斜仪分别测量孔径和垂直度，其中孔径检测时探头测腿紧贴孔壁，随着孔壁变化而合拢，从而带动变阻器滑动，并通过电阻变化转换为电压变化以反映不同深度各方向的孔径，测斜仪需采用顶角测量方法，可在钻孔内直接进行，并应外加扶正器且在孔径检测完毕后进行，大直径桩孔可在清孔完成后在未提钻的钻具中进行。

沉渣是钻孔灌注桩成孔后淤积于孔底部的非原状沉淀物，从定量上准确区分沉渣和下部原状岩土层存在一定难度，本方法中沉渣厚度的检测实际上是利用有效工具检测估算沉渣厚度。

**6.5.2** 超声波法检测设备仪器应具有自校功能，检测精度不低于0.2%，当传感器遇到孔壁或者孔底时应有自动停机功能；接触式孔径成孔检测系统灵敏度不小于100mV/10cm；沉渣测定仪可根据不同方法原理选择检测沉渣厚度的相关仪器或检测工具，并满足相关精度要求；测斜仪应满足测量范围0°～10°，分辨率为0.05°，测量误差不大于±0.1°。

**6.5.4** 泥浆过稠、泥浆中存在悬浮物可能导致超声波的散射，而孔中泥浆气泡可能屏蔽超声波，导致反射信号较弱。当采用超声波法时，一般要求泥浆比重小于1.2，含砂率小于4%。实际检测时可采取调整泥浆参数、降低探头升降速度、调节设备等方法以取得清晰准确的检测数据。

仪器探头如偏离护筒中心，实际检测的是桩孔两个正交弦断面的弦长，因此越靠近中心，检测误差越小。另外超声波探头发射面外侧 200mm 距离范围内为超声波测试盲区，对于小直径桩孔，可能由于桩径偏斜导致探头进入盲区而无法检测。

接触式孔径成孔检测系统检测结束时还应根据孔口护筒直径检测成果，检查仪器的测量误差，必要时应重新标定后再次检测。

## 6.6 孔 内 摄 像

**6.6.1** 孔内摄像是在桩身内腔内，采用高精度、高清晰度和高分辨率的孔内摄像探头对整根桩或桩身局部进行拍摄，摄取孔壁结构图像，观察桩身有无弯曲；有无裂缝，裂缝的形态、间距、长度；上段与下段有无错位；有无混凝土脱落，破碎区域形态、高度、宽度、深度；孔内有无地下水、渗漏源，水位高度、变化趋势等，摄像头通过带有刻度标示的防水电缆与监视器相连，孔壁结构的状态清晰显示、储存到地面上的监视器中，可识别桩身缺陷位置、形式及大小，据此分析桩身完整性并能准确定位缺陷位置。

**6.6.4** 低应变法目前在桩身完整性检测中使用最为普遍，但该方法具有一定的局限性，可能带来检测的不准确。例如，有效检测长度有限，深部缺陷难以测得，特别是裂缝缺陷；不能检测竖向裂缝；若浅部存在较严重缺陷时，很难再发现其下部的第二个缺陷，等间距缺陷时识别更难；应力波在管桩接头位置出现重复反射时的判别尺度很难掌握；不能明确缺陷的具体形式。同时低应变检测出的缺陷位置常有一定的误差。

相比之下孔内摄像清楚直观，可对缺陷作出定量分析，对缺陷位置作出准确测量，对缺陷形式作出准确描述，给补强设计带来很大的方便；桩身有多道缺陷时，可准确测出枚道缺陷；可以直观地了解接桩部位的情况，如上、下节有无脱开；可检测桩身的竖向裂缝；不受桩长度的限制，可对深部桩身缺陷和桩端破损进行检测。

综上所述，孔内摄像适合工程桩完整性复核检查，因此，本条建议孔内摄像宜配合其他检测方法进行；另外，实际上任何一种检测方法都存在各自的局限性，实践证明，单桩完整性检测应采用多种检测方法相互结合、相互印证和补充，综合分析后作出评价，故本条建议宜综合评价桩身完整性。